biblio*collège*

La Vénus d'Ille

Mérimée

Notes, questionnaires et Dossier Bibliocollège
Dominique FLEUR-SCHULTHESS,
agrégée de Lettres modernes,
Claudine ZENOU-GRINSTEIN,
agrégée de Lettres classiques,
professeurs en collège

Texte conforme à l'édition de 1850.

Crédits photographiques

p. 5 : photo Josse. **p. 11 :** Mérimée en voyage, 1837, photo J.-L. Charmet. **p. 19 :** Paris, bibliothèque des Arts Décoratifs, photo J.-L. Charmet. **pp. 27, 48, 82 :** photo Artephot. **p. 35 :** conservé au musée national d'Archéologie de Naples, photo Artephot. **p. 39 :** photo G. Dagli Orti, © ADAGP, Paris 1999. **p. 53 :** portrait de jeune fille extrait du dessin *La Famille Stamaty*, photo Hachette Livre. **p. 60 :** photo J.-L. Charmet. **pp. 63, 66, 94, 97 :** photo Hachette Livre. **p. 106 :** photo Bulloz. **pp. 109, 110, 118 :** photo AKG. **p. 115 :** photo Hachette Livre.

Conception graphique

Couverture : *Laurent Carré*

Intérieur : *ELSE*

Mise en page

Médiamax

Illustration des questionnaires

Harvey Stevenson

ISBN : 978-2-01-167850-8

© Hachette Livre, 1999, 43, quai de Grenelle, 75905 PARIS Cedex 15.
Tous droits de traduction, de reproduction et d'adaptation réservés pour tous pays.

Le Code de la propriété intellectuelle n'autorisant, aux termes des articles L.122.-4 et L.122-5, d'une part, que les « copies ou reproductions strictement réservées à l'usage privé du copiste et non destinées à une utilisation collective », et, d'autre part, que « les analyses et les courtes citations » dans un but d'exemple et d'illustration, « toute représentation ou reproduction intégrale ou partielle, faite sans le consentement de l'auteur ou de ses ayants droits ou ayants cause, est illicite ».
Cette représentation ou reproduction par quelque procédé que ce soit, sans l'autorisation de l'éditeur ou du Centre français de l'exploitation du droit de copie (20, rue des Grands-Augustins, 75006 Paris), constituerait donc une contrefaçon sanctionnée par les Articles 425 et suivants du Code pénal.

Sommaire

Introduction

Quand Prosper Mérimée publie sa nouvelle *La Vénus d'Ille*, en 1837, dans la prestigieuse *Revue des Deux Mondes*, il rentre d'un voyage dans le sud de la France où il a effectué une tournée professionnelle en tant qu'Inspecteur des Monuments historiques. La haute fonction de Mérimée aux affaires culturelles, sa réputation d'érudit et de spécialiste en histoire de l'art, le titre même de la nouvelle curieusement empreint d'une coloration archéologique, tout laisse à penser en somme que *La Vénus d'Ille* pourrait constituer un petit essai érudit sur une statue antique dont on aurait retrouvé la trace en pays de Roussillon. Or, c'est Mérimée lui-même qui, plus tard, le rappelle dans une lettre : « *La Vénus d'Ille n'a jamais existé* ». Tout est fait, dans *La Vénus d'Ille*, pour brouiller les pistes d'un lecteur naïvement installé dans une anodine chronique provinciale. Pourtant, au cœur de cette tranquillité, surgit un drame : l'assassinat d'un jeune homme,

Vénus en bronze. Musée du Louvre.

Alphonse de Peyrehorade, la nuit même de ses noces avec une jeune et belle héritière.

Les circonstances du meurtre restent bien mystérieuses et l'assassin sera-t-il jamais identifié ? Dans le même temps, de façon insidieuse, des éléments surnaturels se sont glissés dans le récit comme autant d'avertissements adressés à des lecteurs attentifs : ne faudrait-il pas pousser la porte du fantastique pour comprendre ce qui s'est vraiment passé ce soir-là à Ille dans la maison des Peyrehorade ? Alphonse est-il victime d'une vengeance humaine ou de la passion destructrice d'une divinité démoniaque ?

Entre raison et superstition : quelle interprétation le lecteur doit-il ou peut-il choisir ? Que croire ? C'est bien là que réside l'ambiguïté de cet original récit fantastique.

Controversée lors de sa parution en 1837 en raison de son sujet fantastique – une statue qui prend vie –, *La Vénus d'Ille* reste pour Mérimée une réussite littéraire : « *Avez-vous lu une histoire de revenants que j'ai faite et qui s'appelle* La Vénus d'Ille *? C'est, suivant moi, un chef-d'œuvre.* » (Lettre à Mme de La Rochejacquelein, 18 février 1857.)

Mérimée ne se trompait pas car sa nouvelle, devenue un classique du genre, demeure une référence. Les jeunes d'aujourd'hui connaissent bien cet univers fantastique grâce aux films et à de nombreuses séries cultes : une statue en bronze qui s'anime n'apparaît pas forcément comme un phénomène incroyable. Mais l'originalité de *La Vénus d'Ille* tient aussi dans le plaisir des différentes lectures qu'implique cette fiction : on passe ainsi d'une chronique pittoresque à une enquête policière, d'un drame familial à un conte fantastique où l'ironie côtoie le tragique. Plongé dans l'illusion, le lecteur, mystifié, manipulé par un écrivain tout-puissant, se laisse prendre avec délectation à ce jeu plaisant qui ne doit rien au hasard.

RELATION

de la découverte faite à Ille, en 1834, d'une

STATVE ANTIQVE

et d'inscriptions curieuses expliquées par

Mr. de PEYREHORADE, membre du conseil general du Dept des

Pyrénées Orientales

rédigé

par. Mr. MERIMEE ~~de l'Académie de~~ BOURGES

~~Section de l'archéologie~~

Ἵλεως. ἦν δ'ἐγὼ, ἔστω ὁ ἀνδριὰς,

καὶ ἤπιος, οὕτως ἀνδρεῖος ὤν.

ΛΟΥΚΙΑΝΟΥ ΦΙΛΟΨΕΥΔΗΣ.

Au fil du texte

AVEZ-VOUS BIEN LU ?

1. Quels sont les mots mis en relief par les différentes formes d'écriture ?

2. Observez, dans le groupe nominal « *statue antique* » et le nom de ville « *Bourges* », la transcription de la lettre U. Comment expliquez-vous cette différence ?

3. Qu'est-ce qui, dans cette page, peut faire penser que cette « *relation*★ » s'adresse à des personnes érudites★ ?

4. Qui est l'auteur de ce manuscrit autographe★ ?

ÉTUDIER LE VOCABULAIRE ET LA GRAMMAIRE

5. « *Inscriptions curieuses* » : que signifie l'adjectif « *curieux* » dans ce contexte ? Comment contribue-t-il à créer un effet d'attente★ chez le lecteur ?

6. Quel article désigne le groupe « *statue antique* » ? Sait-on ce que représente cette statue et quelle est son origine, son époque ?

7. Comparez ce déterminant avec celui du titre de la nouvelle : quelle remarque faites-vous ?

ÉTUDIER LE DISCOURS

8. Mérimée se présente comme un simple rapporteur. Relevez le terme qui le souligne dans le texte : que veut-il faire croire au lecteur en mélangeant ainsi fiction et réalité ?

9. Qui est le destinataire★ de ce texte ?

relation :
communication, récit précis et détaillé.

érudit :
qui a un savoir approfondi, fondé sur l'étude des sources historiques.

autographe :
qui est écrit de la propre main de quelqu'un.

effet d'attente :
technique d'écriture qui consiste à susciter et à maintenir l'intérêt du lecteur.

ÉTUDIER LE GENRE : LA NOUVELLE

10. À l'origine, le terme « *nouvelle* » signifie : information récente et véritable digne d'être diffusée. *La Vénus d'Ille* paraît en 1837. Relevez les indications spatio-temporelles* et les renseignements sur M. de Peyrehorade et M. Mérimée qui conviendraient à cette définition.

11. Parmi les éléments que vous avez retenus, quels sont ceux qui contribuent à donner au lecteur l'illusion du vrai ?

ÉTUDIER L'ÉCRITURE

12. La citation en grec est empruntée à une œuvre de Lucien (IIe s. apr. J.-C.), *Philopseudès*, c'est-à-dire *l'homme qui aime le faux* ou *le menteur*. Dans cette page de titre, qui vous semble être en réalité le mystificateur* ?

ÉTUDIER UN THÈME

13. Cette page vous paraît-elle ressembler à...
a) un article de journal relatant un fait divers. ☐
b) un titre de roman. ☐
c) une annonce pour une conférence culturelle. ☐

ÉTUDIER LA FONCTION DE CE PASSAGE

14. Après avoir lu intégralement *La Vénus d'Ille*, estimez-vous que cette page de titre est fidèle à l'esprit de la nouvelle ?

15. Les « *inscriptions curieuses* » seront-elles véritablement expliquées par M. de Peyrehorade ?

destinataire : **personne à laquelle s'adresse un message.**

indications spatio-temporelles : **notations sur le lieu et le temps du récit.**

mystificateur : **personne qui aime à mystifier, c'est-à-dire à tromper quelqu'un en abusant de sa crédulité pour s'amuser à ses dépens.**

À VOS PLUMES !

16. Vous êtes rédacteur du journal local d'Ille. Composez un article de quelques lignes pour rendre compte de la découverte de la statue en vous aidant des indications contenues dans cette page.

LIRE UNE CARTE

route départementale	cours d'eau
route secondaire	points de vue
frontière	10 km

17. Les lieux évoqués dans la nouvelle sont-ils réels ? Pouvez-vous les situer sur le document géographique ?

18. Quelle illusion se trouve ainsi renforcée ?

La Vénus d'Ille

’Ιλεὼς ἦν δ’ ἐγώ, ἔστω ὁ ἀνδρίας
καὶ ἤπιός, οὕτως ἀνδρεῖος ὤν.
ΛΟΥΚΙΑΝΟΥ ΦΙΛΟΨΕΥΔΗΣ[1].

Je descendais le dernier coteau du Canigou[2], et, bien que le soleil fût déjà couché, je distinguais dans la plaine les maisons de la petite ville d'Ille[3], vers laquelle je me dirigeais.

5 « Vous savez, dis-je au Catalan[4] qui me servait de guide depuis la veille, vous savez sans doute où demeure M. de Peyrehorade[5] ?

notes

1. Citation extraite d'une comédie de Lucien (125-192 apr. J.-C.), Philopseudès (L'homme qui aime les mensonges) : « Que cette statue, disais-je, soit propice et bienveillante, elle qui est à ce point humaine ! »

2. Canigou : sommet des Pyrénées-Orientales (2 785 m), au sud-ouest de Perpignan.

3. Ille : aujourd'hui Ille-sur-Têt, petite commune de l'arrondissement de Prades.

4. Catalan : habitant de la Catalogne, région située de part et d'autre de la frontière franco-espagnole.

5. Peyrehorade : petite commune de l'arrondissement de Dax, dans le département des Landes.

– Si je le sais ! s'écria-t-il, je connais sa maison comme la mienne ; et s'il ne faisait pas si noir, je vous la montrerais. C'est la plus belle d'Ille. Il a de l'argent, oui, M. de Peyrehorade ; et il marie son fils à plus riche que lui encore.

– Et ce mariage se fera-t-il bientôt ? lui demandai-je.

– Bientôt ! il se peut que déjà les violons soient commandés pour la noce. Ce soir, peut-être, demain, après-demain, que sais-je ! C'est à Puygarrig[1] que ça se fera ; car c'est mademoiselle de Puygarrig que monsieur le fils épouse. Ce sera beau, oui ! »

J'étais recommandé à M. de Peyrehorade par mon ami M. de P. C'était, m'avait-il dit, un antiquaire[2] fort instruit et d'une complaisance à toute épreuve. Il se ferait un plaisir de me montrer toutes les ruines à dix lieues[3] à la ronde. Or je comptais sur lui pour visiter les environs d'Ille, que je savais riches en monuments antiques et du Moyen Âge. Ce mariage, dont on me parlait alors pour la première fois, dérangeait tous mes plans.

Je vais être un trouble-fête, me dis-je. Mais j'étais attendu ; annoncé par M. de P., il fallait bien me présenter.

« Gageons[4], monsieur, me dit mon guide, comme nous étions déjà dans la plaine, gageons un cigare que je devine ce que vous allez faire chez M. de Peyrehorade ?

– Mais, répondis-je en lui tendant un cigare, cela n'est pas bien difficile à deviner. À l'heure qu'il est, quand on a fait six lieues dans le Canigou, la grande affaire, c'est de souper.

---

notes

1. Puygarrig : ce nom fait penser à celui de l'archéologue M. Puigarri, avec qui Mérimée avait eu des divergences.

2. antiquaire : celui qui s'applique à l'étude de l'Antiquité.

3. lieue : ancienne mesure de distance (4 km environ).

4. gageons : parions.

– Oui, mais demain ?… Tenez, je parierais que vous
35 venez à Ille pour voir l'idole[1] ? j'ai deviné cela à vous voir
tirer en portrait[2] les saints de Serrabona[3].

– L'idole ! quelle idole ? » Ce mot avait excité ma curiosité.

« Comment ! on ne vous a pas conté, à Perpignan[4], comment M. de Peyrehorade avait trouvé une idole en terre ?

40 – Vous voulez dire une statue en terre cuite, en argile ?

– Non pas. Oui, bien en cuivre, et il y en a de quoi faire
des gros sous. Elle vous pèse autant qu'une cloche d'église.
C'est bien avant dans la terre, au pied d'un olivier, que nous
l'avons eue.

45 – Vous étiez donc présent à la découverte ?

– Oui, monsieur. M. de Peyrehorade nous dit, il y a
quinze jours, à Jean Coll et à moi, de déraciner un vieil olivier qui était gelé de l'année dernière, car elle a été bien
mauvaise, comme vous savez. Voilà donc qu'en travaillant,
50 Jean Coll, qui y allait de tout cœur, il donne un coup de
pioche, et j'entends bimm… comme s'il avait tapé sur une
cloche. Qu'est-ce que c'est ? que je dis. Nous piochons toujours, nous piochons, et voilà qu'il paraît une main noire, qui
semblait la main d'un mort qui sortait de terre. Moi, la peur
55 me prend. Je m'en vais à monsieur, et je lui dis : – Des morts,
notre maître, qui sont sous l'olivier ! Faut appeler le curé.
– Quels morts ? qu'il me dit. Il vient, et il n'a pas plutôt vu
la main qu'il s'écrie : – Un antique[5] ! un antique ! – Vous
auriez cru qu'il avait trouvé un trésor. Et le voilà, avec la

notes

1. idole : représentation
d'une divinité païenne, non
chrétienne.

2. tirer en portrait : en faire
le portrait, les dessiner.

3. Serrabona : prieuré roman
des Pyrénées-Orientales
(xie siècle) que Mérimée a pu
visiter lors de sa tournée dans
le Roussillon en 1834.

4. Perpignan : préfecture des
Pyrénées-Orientales.

5. antique : un antique ou
une antique, objet qui date
de l'Antiquité.

60 pioche, avec les mains, qui se démène et qui faisait quasiment autant d'ouvrage que nous deux.

– Et enfin que trouvâtes-vous ?

– Une grande femme noire plus qu'à moitié nue, révérence parler[1], monsieur, toute en cuivre, et M. de
65 Peyrehorade nous a dit que c'était une idole du temps des païens[2]… du temps de Charlemagne, quoi !

– Je vois ce que c'est… Quelque bonne Vierge en bronze[3] d'un couvent détruit.

– Une bonne Vierge ! ah bien oui !… Je l'aurais bien
70 reconnue, si ç'avait été une bonne Vierge. C'est une idole, vous dis-je ; on le voit bien à son air. Elle vous fixe avec ses grands yeux blancs… On dirait qu'elle vous dévisage. On baisse les yeux, oui, en la regardant.

– Des yeux blancs ? Sans doute ils sont incrustés dans le
75 bronze. Ce sera peut-être quelque statue romaine.

– Romaine ! c'est cela. M. de Peyrehorade dit que c'est une Romaine. Ah ! je vois bien que vous êtes un savant comme lui.

– Est-elle entière, bien conservée ?

80 – Oh ! monsieur, il ne lui manque rien. C'est encore plus beau et mieux fini que le buste de Louis-Philippe[4], qui est à la mairie, en plâtre peint. Mais avec tout cela, la figure de cette idole ne me revient pas. Elle a l'air méchante… et elle l'est aussi.

85 – Méchante ! Quelle méchanceté vous a-t-elle faite ?

---

notes

1. révérence parler : formule d'excuse populaire qui équivaut à « sauf votre respect ».

2. païens : ceux qui croient en plusieurs dieux (polythéistes). Ici surtout par opposition aux chrétiens.

3. bronze : alliage de cuivre et d'étain.

4. Louis-Philippe : roi des Français de 1830 à 1848. L'action de la nouvelle se passe donc sous son règne.

– Pas à moi précisément ; mais vous allez voir. Nous nous étions mis à quatre pattes pour la dresser debout, et M. de Peyrehorade, qui lui aussi tirait à la corde, bien qu'il n'ait guère plus de force qu'un poulet, le digne homme ! Avec bien de la peine nous la mettons droite. J'amassais un tuileau[1] pour la caler, quand, patatras ! la voilà qui tombe à la renverse tout d'une masse. Je dis : Gare dessous ! Pas assez vite pourtant, car Jean Coll n'a pas eu le temps de tirer sa jambe…

– Et il a été blessé ?

– Cassée net comme un échalas[2], sa pauvre jambe ! Pécaïre[3] ! quand j'ai vu cela, moi, j'étais furieux. Je voulais défoncer l'idole à coups de pioche, mais M. de Peyrehorade m'a retenu. Il a donné de l'argent à Jean Coll, qui tout de même est encore au lit depuis quinze jours que cela lui est arrivé, et le médecin dit qu'il ne marchera jamais de cette jambe-là comme de l'autre. C'est dommage, lui qui était notre meilleur coureur et, après monsieur le fils, le plus malin joueur de paume[4]. C'est que M. Alphonse de Peyrehorade en a été triste, car c'est Coll qui faisait sa partie. Voilà qui était beau à voir comme ils se renvoyaient les balles. Paf ! paf ! Jamais elles ne touchaient terre. »

---

notes

1. tuileau : morceau de tuile.

2. échalas : piquet fiché en terre pour soutenir un cep de vigne ou un jeune arbre.

3. pécaïre : expression méridionale (cf. « peuchère ! ») pour signifier la plainte ou l'attendrissement.

4. jeu de paume : jeu de balle, ancêtre du tennis qui se joua d'abord avec la paume de la main puis avec une raquette.

Au fil du texte

AVEZ-VOUS BIEN LU ?

1. Relevez les indications temporelles (l. 1 à 15) qui ponctuent le début de la nouvelle. Que remarquez-vous entre la ligne 2 et la ligne 9 ?

2. Quels sont les lieux clairement précisés (*cf.* la carte page 10) ?

3. Qui est le narrateur* ?

a) Que peut-on, en dehors de son identité, apprendre sur lui ?

b) Quel est le pronom personnel qui le désigne dès la première phrase ?

ÉTUDIER LE VOCABULAIRE ET LA GRAMMAIRE

4. Quand il rapporte des paroles, Mérimée choisit-il prioritairement le style (ou discours) direct ou indirect ? À votre avis, pourquoi fait-il ce choix ?

ÉTUDIER LE DISCOURS

5. Des situations d'énonciation* distinctes. Entre quels interlocuteurs le dialogue s'engage-t-il d'abord ? Qui parle surtout ? Pourquoi ?

6. Comment la façon de s'exprimer du narrateur et du Catalan les caractérise-t-elle en même temps qu'elle les différencie ? Comparez notamment les temps des verbes, les tournures syntaxiques, le vocabulaire, les connaissances historiques de l'un et de l'autre.

incipit : **premières lignes ou premières pages d'un récit.**

narrateur : **celui qui raconte.**

situation d'énonciation : **c'est la situation dans laquelle est produit l'énoncé ; il faut savoir qui parle, à qui, quand et où afin de bien comprendre l'énoncé.**

ÉTUDIER LA NOUVELLE FANTASTIQUE

7. Un *incipit* rassurant. La nouvelle (fantastique ?) débute comme le banal récit d'un voyageur fatigué : quelles sont ses préoccupations immédiates ? A-t-on le sentiment d'entrer dans un univers inquiétant ?

8. Quel est l'événement récent qui est venu troubler la quiétude de la petite ville d'Ille ?

9. Un narrateur rassurant. Dès lors qu'il est question de la statue, observez les paroles et les attitudes du narrateur : en quoi sont-elles rassurantes pour le lecteur face aux réactions affectives et superstitieuses du guide catalan ?

10. Le récit à la première personne crée l'illusion que le narrateur est une personne réelle à laquelle le lecteur s'identifie★ aisément. Pourquoi Mérimée a-t-il intérêt à mettre le lecteur de son côté ?

s'identifier : se pénétrer des pensées, des sentiments d'un autre.

description objective : qui ne fait pas intervenir d'éléments personnels, affectifs dans ses jugements. L'antonyme est subjectif.

ÉTUDIER L'ÉCRITURE

11. Repérez le sujet réel – ou logique – du verbe « paraître » dans la phrase « *et voilà qu'il paraît une main noire* » (l. 53) ; quel est l'effet produit par sa place dans la proposition ?

ÉTUDIER UN THÈME : LA STATUE

12. Relevez les termes utilisés par le Catalan lorsqu'il évoque la statue : sur quels aspects caractéristiques mettent-ils l'accent ? S'agit-il d'une description objective★ ?

13. Parmi les adjectifs employés par le guide pour qualifier la statue, quel est celui qui ne peut convenir à un « objet inanimé » ? Que laisse entendre de cette façon le Catalan ?

ÉTUDIER LA FONCTION DE L'INCIPIT

14. Dans ce début de nouvelle, les informations sur les personnages et l'action nous sont-elles données principalement par :

a) un récit au passé. ☐

b) des dialogues. ☐

c) des commentaires du narrateur. ☐

Pour quelle raison, selon vous, Mérimée a-t-il fait ce choix ?

15. Montrez, après les avoir relevés, que tous les éléments de l'intrigue sont mis en place comme dans la scène d'exposition★ d'une pièce de théâtre.

À VOS PLUMES !

16. Imaginez le récit au style indirect qu'aurait pu faire M. de Peyrehorade de la découverte de la statue. Vous veillerez aux temps des verbes, aux pronoms et au niveau de langue★ soutenu qui serait le sien.

LIRE L'IMAGE

17. Un chantier de fouilles au XIXᵉ siècle : observez les vêtements, les attitudes et la situation spatiale des personnages. Que remarquez-vous ?

18. Cette gravure reflète fidèlement l'état de l'archéologie au XIXᵉ siècle. Montrez que la même opposition (paysans/savants, travailleurs manuels/ « antiquaires » bourgeois) existe dans le texte de Mérimée.

scène d'exposition : au théâtre, elle a pour fonction de présenter les personnages et de livrer les renseignements indispensables pour bien comprendre le déroulement de l'intrigue.

niveau de langue : On distingue le niveau de langue familier (incorrections grammaticales, tournures populaires), courant (langage usuel), soutenu (termes et constructions recherchés).

Les fouilles de Torre Vergata,
par Henri-Felix-Emmanuel Philippoteaux.
Illustration pour les *Mémoires d'outre-tombe*
de Chateaubriand (1850).

Devisant de la sorte, nous entrâmes à Ille, et je me trouvai bientôt en présence de M. de Peyrehorade. C'était un petit vieillard vert[1] encore et dispos[2], poudré, le nez rouge, l'air jovial[3] et goguenard[4]. Avant d'avoir ouvert la lettre de M. de P., il m'avait installé devant une table bien servie, et m'avait présenté à sa femme et à son fils comme un archéologue[5] illustre, qui devait tirer le Roussillon[6] de l'oubli où le laissait l'indifférence des savants.

Tout en mangeant de bon appétit, car rien ne dispose mieux que l'air vif des montagnes, j'examinais mes hôtes. J'ai dit un mot de M. de Peyrehorade ; je dois ajouter que c'était la vivacité même. Il parlait, mangeait, se levait, courait à sa bibliothèque, m'apportait des livres, me montrait des estampes[7], me versait à boire ; il n'était jamais deux minutes en repos. Sa femme, un peu trop grasse, comme la plupart des Catalanes lorsqu'elles ont passé quarante ans, me parut une provinciale renforcée, uniquement occupée des soins de son ménage. Bien que le souper fût suffisant pour six personnes au moins, elle courut à la cuisine, fit tuer des pigeons, frire des miliasses[8], ouvrit je ne sais combien de pots de confitures. En un instant la table fut encombrée de plats et de bouteilles, et je serais certainement mort d'indigestion si j'avais goûté seulement à tout ce qu'on m'offrait. Cependant, à chaque plat que je refusais, c'étaient de nouvelles excuses. On craignait que je me trouvasse bien mal

---

notes

1. vert : plein de vigueur, de force et de santé.

2. dispos : en bonne condition.

3. jovial : naturellement gai et de bonne humeur (né sous le signe de Jupiter, Jovis).

4. goguenard : moqueur, narquois.

5. archéologue : spécialiste de l'étude des civilisations du passé et de leurs vestiges matériels.

6. Roussillon : province du sud-ouest de la France (Pyrénées-Orientales).

7. estampes : images imprimées.

8. miliasses : petits gâteaux de farine de maïs.

à Ille. Dans la province on a si peu de ressources, et les Parisiens sont si difficiles !

135 Au milieu des allées et venues de ses parents, M. Alphonse de Peyrehorade ne bougeait pas plus qu'un Terme[1]. C'était un grand jeune homme de vingt-six ans, d'une physionomie[2] belle et régulière, mais manquant d'expression. Sa taille et ses formes athlétiques justifiaient bien la réputation d'in
140 fatigable joueur de paume qu'on lui faisait dans le pays. Il était ce soir-là habillé avec élégance, exactement d'après la gravure du dernier numéro du *Journal des modes*. Mais il me semblait gêné dans ses vêtements ; il était raide comme un piquet dans son col de velours, et ne se tournait que tout
145 d'une pièce. Ses mains grosses et hâlées[3], ses ongles courts contrastaient singulièrement avec son costume. C'étaient des mains de laboureur sortant des manches d'un dandy[4]. D'ailleurs, bien qu'il me considérât de la tête aux pieds fort curieusement, en ma qualité de Parisien, il ne m'adressa
150 qu'une seule fois la parole dans toute la soirée, ce fut pour me demander où j'avais acheté la chaîne de ma montre.

« Ah çà ! mon cher hôte, me dit M. de Peyrehorade, le souper tirant à sa fin, vous m'appartenez, vous êtes chez moi. Je ne vous lâche plus, sinon quand vous aurez vu tout ce que
155 nous avons de curieux dans nos montagnes. Il faut que vous appreniez à connaître notre Roussillon, et que vous lui rendiez justice. Vous ne vous doutez pas du tout de que nous

---

notes

1. Terme : le dieu Terme était à Rome le gardien des propriétés. Il veillait sur les bornes et vengeait les usurpations. Le dieu Terme n'était à l'origine qu'une pierre grossière carrée. Plus tard on lui donna forme humaine, mais la base resta pyramidale. Il était sans bras et sans pieds, en témoignage de son immobilité.

2. physionomie : apparence, expression du visage.

3. hâlées : légèrement bronzées.

4. dandy : au XIXe siècle, homme qui cherche à exprimer par sa mise un raffinement et un idéal esthétique. Par la suite, homme qui affecte une grande recherche dans sa toilette.

allons vous montrer. Monuments phéniciens[1], celtiques[2], romains, arabes, byzantins[3], vous verrez tout, depuis le cèdre
160 jusqu'à l'hysope[4]. Je vous mènerai partout et ne vous ferai pas grâce d'une brique. »

Un accès de toux l'obligea de s'arrêter. J'en profitai pour lui dire que je serais désolé de le déranger dans une circonstance aussi intéressante[5] pour sa famille. S'il voulait
165 bien me donner ses excellents conseils sur les excursions que j'aurais à faire, je pourrais, sans qu'il prît la peine de m'accompagner…

« Ah ! vous voulez parler du mariage de ce garçon-là, s'écria-t-il en m'interrompant. Bagatelle[6] ! ce sera fait après-
170 demain. Vous ferez la noce avec nous, en famille, car la future est en deuil d'une tante dont elle hérite. Ainsi point de fête, point de bal… C'est dommage… vous auriez vu danser nos Catalanes… Elles sont jolies, et peut-être l'envie vous aurait-elle pris d'imiter mon Alphonse. Un mariage, dit-on, en
175 amène d'autres… Samedi, les jeunes gens mariés, je suis libre, et nous nous mettons en course. Je vous demande pardon de vous donner l'ennui d'une noce de province. Pour un Parisien blasé[7] sur les fêtes… et une noce sans bal encore ! Pourtant, vous verrez une mariée… une mariée… vous
180 m'en direz des nouvelles… Mais vous êtes un homme grave et vous ne regardez plus les femmes. J'ai mieux que cela à

notes

1. phéniciens : de Phénicie, ancienne région du Moyen-Orient, située entre la Méditerranée et le Liban.

2. celtiques : relatifs aux Celtes, peuple qui occupait une partie de la Gaule, de l'Espagne et de l'Italie.

3. byzantins : de Byzance, nom de la très ancienne ville grecque qui devint au IVe siècle Constantinople.

4. depuis le cèdre jusqu'à l'hysope : expression proverbiale de la Bible (Livre des Rois, 1, 4, 33), où sont opposés le grand arbre (cèdre) et la petite plante aromatique (hysope), et qui signifie du plus grand au plus petit.

5. intéressante : importante, préoccupante.

6. bagatelle : objet de peu de prix, sans importance.

7. blasé : dégoûté, rendu indifférent ou insensible par l'expérience ou la satiété.

vous montrer. Je vous ferai voir quelque chose !… Je vous réserve une fière surprise pour demain.

185 — Mon Dieu ! lui dis-je, il est difficile d'avoir un trésor dans sa maison sans que le public en soit instruit. Je crois deviner la surprise que vous me préparez. Mais si c'est de votre statue qu'il s'agit, la description que mon guide m'en a faite n'a servi qu'à exciter ma curiosité et à me disposer à l'admiration.

190 — Ah ! il vous a parlé de l'idole, car c'est ainsi qu'ils appellent ma belle Vénus Tur… mais je ne veux rien vous dire. Demain, au grand jour, vous la verrez, et vous me direz si j'ai raison de la croire un chef-d'œuvre. Parbleu ! vous ne pouviez arriver plus à propos ! Il y a des inscriptions que moi, 195 pauvre ignorant, j'explique à ma manière… mais un savant de Paris !… Vous vous moquerez peut-être de mon interprétation… car j'ai fait un mémoire[1]… moi qui vous parle… vieil antiquaire de province, je me suis lancé… Je veux faire gémir la presse[2]… Si vous vouliez bien me lire et 200 me corriger, je pourrais espérer… Par exemple, je suis bien curieux de savoir comment vous traduirez cette inscription sur le socle : *CAVE*[3]. Mais je ne veux rien vous demander encore ! À demain, à demain ! Pas un mot sur la Vénus aujourd'hui !

205 — Tu as raison, Peyrehorade, dit sa femme, de laisser là ton idole. Tu devrais voir que tu empêches monsieur de manger. Va, monsieur a vu à Paris de bien plus belles statues que la tienne. Aux Tuileries[4], il y en a des douzaines, et en bronze aussi.

---

notes

1. un mémoire : compte rendu sur un sujet d'érudition scientifique ou littéraire.

2. faire gémir la presse : métaphore qui signifie… imprimer !

3. cave : impératif latin signifiant « prends garde à… »

4. les Tuileries : ancienne résidence royale, à Paris, dont le jardin se situe entre le Louvre et les Champs-Élysées.

–Voilà bien l'ignorance, la sainte ignorance de la province !
interrompit M. de Peyrehorade. Comparer un antique admirable aux plates figures de Coustou[1] !

> *Comme avec irrévérence*
> *Parle des dieux ma ménagère[2] !*

Savez-vous que ma femme voulait que je fondisse ma statue pour en faire une cloche à notre église ? C'est qu'elle en eût été la marraine. Un chef-d'œuvre de Myron[3], monsieur !

– Chef-d'œuvre ! chef-d'œuvre ! un beau chef-d'œuvre qu'elle a fait ! casser la jambe d'un homme !

– Ma femme, vois-tu ? dit M. de Peyrehorade d'un ton résolu, et tendant vers elle sa jambe droite dans un bas de soie chinée, si ma Vénus m'avait cassé cette jambe-là, je ne la regretterais pas.

– Bon Dieu ! Peyrehorade, comment peux-tu dire cela ! Heureusement que l'homme va mieux… Et encore je ne peux pas prendre sur moi de regarder la statue qui fait des malheurs comme celui-là. Pauvre Jean Coll !

– Blessé par Vénus, monsieur, dit M. de Peyrehorade riant d'un gros rire, blessé par Vénus, le maraud se plaint.

> *Veneris nec praemia noris[4].*

Qui n'a été blessé par Vénus ? »

M. Alphonse, qui comprenait le français mieux que le latin, cligna de l'œil d'un air d'intelligence, et me regarda comme pour me demander : Et vous, Parisien, comprenez-vous ?

notes

1. Coustou : sculpteur (1658-1733) dont certaines statues se trouvent aux Tuileries.

2. « Comme avec irrévérence/ Parle des dieux ma ménagère ! » : M. de Peyrehorade s'amuse à faire une variation sur une citation de Molière : « *comme avec irrévérence/Parle des dieux ce maraud* » (*Amphitryon*, acte II, scène 2).

3. Myron : sculpteur grec du Ve siècle av. J.-C. à qui on attribue la célèbre statue du *Discobole*, visible aujourd'hui au Louvre.

4. « Veneris nec praemia noris » : « Et les présents de Vénus, tu ne les connais pas » (Virgile, *Énéide*, IV, 33 : il est question, dans ce chant de l'*Énéide*, de l'amour malheureux de Didon, reine de Carthage, pour Énée, le fils de Vénus).

Le souper finit. Il y avait une heure que je ne mangeais
235 plus. J'étais fatigué, et je ne pouvais parvenir à cacher les
fréquents bâillements qui m'échappaient. Madame de
Peyrehorade s'en aperçut la première, et remarqua qu'il était
temps d'aller dormir. Alors commencèrent de nouvelles
excuses sur le mauvais gîte que j'allais avoir. Je ne serais
240 pas comme à Paris. En province on est si mal ! Il fallait de
l'indulgence pour les Roussillonnais. J'avais beau protester
qu'après une course dans les montagnes une botte de paille
me serait un coucher délicieux, on me priait toujours de
pardonner à de pauvres campagnards s'ils ne me traitaient
245 pas aussi bien qu'ils l'eussent désiré. Je montai enfin à la
chambre qui m'était destinée, accompagné de M. de
Peyrehorade. L'escalier, dont les marches supérieures étaient
en bois, aboutissait au milieu d'un corridor[1], sur lequel
donnaient plusieurs chambres.

250 « À droite, me dit mon hôte, c'est l'appartement que je
destine à la future madame Alphonse. Votre chambre est au
bout du corridor opposé. Vous sentez bien, ajouta-t-il d'un
air qu'il voulait rendre fin, vous sentez bien qu'il faut isoler
de nouveaux mariés. Vous êtes à un bout de la maison, eux
255 à l'autre. »

Nous entrâmes dans une chambre bien meublée, où le
premier objet sur lequel je portai la vue fut un lit long de
sept pieds[2], large de six, et si haut qu'il fallait un escabeau
pour s'y guinder[3]. Mon hôte m'ayant indiqué la position de
260 la sonnette, et s'étant assuré par lui-même que le sucrier était
plein, les flacons d'eau de Cologne dûment placés sur la

---

notes

1. corridor : couloir distribuant plusieurs chambres d'un même étage.

2. un pied : ancienne mesure qui équivaut à 32 cm.

3. se guinder : se hisser (au moyen d'une grue !).

toilette, après m'avoir demandé plusieurs fois si rien ne me manquait, me souhaita une bonne nuit et me laissa seul.

265 Les fenêtres étaient fermées. Avant de me déshabiller, j'en ouvris une pour respirer l'air frais de la nuit, délicieux après un long souper. En face était le Canigou, d'un aspect admirable en tout temps, mais qui me parut ce soir-là la plus belle montagne du monde, éclairé qu'il était par une lune resplendissante. Je demeurai quelques minutes à contempler sa

270 silhouette merveilleuse, et j'allais fermer ma fenêtre, lorsque, baissant les yeux, j'aperçus la statue sur un piédestal[1] à une vingtaine de toises[2] de la maison. Elle était placée à l'angle d'une haie vive qui séparait un petit jardin d'un vaste carré parfaitement uni, qui, je l'appris plus tard, était le jeu de

275 paume de la ville. Ce terrain, propriété de M. de Peyrehorade, avait été cédé par lui à la commune, sur les pressantes sollicitations[3] de son fils.

À la distance où j'étais, il m'était difficile de distinguer l'attitude de la statue ; je ne pouvais juger que de sa hau-

280 teur, qui me parut de six pieds environ. En ce moment, deux polissons[4] de la ville passaient sur le jeu de paume, assez près de la haie, sifflant le joli air du Roussillon : *Montagnes régalades*[5]. Ils s'arrêtèrent pour regarder la statue ; un d'eux l'apostropha même à haute voix. Il parlait catalan ; mais

285 j'étais dans le Roussillon depuis assez longtemps pour pouvoir comprendre à peu près ce qu'il disait.

« Te voilà donc, coquine ! (Le terme catalan était plus énergique.) Te voilà ! disait-il. C'est donc toi qui as cassé

---

notes

1. piédestal : support élevé formant le socle d'une statue.
2. une toise : ancienne mesure qui équivaut à 2 m environ.

3. sollicitations : demandes.
4. polissons : enfants dissipés, garnements.

5. Montagnes régalades : air du Roussillon qui peut se traduire par *Montagnes royales* ou *Montagnes ruisselantes*.

Paysage romantique, vallée de l'Arve. W. A. Toepffer (1766-1847).

la jambe à Jean Coll ! Si tu étais à moi, je te casserais le cou.

290 — Bah ! avec quoi ? dit l'autre. Elle est de cuivre, et si dure qu'Étienne a cassé sa lime dessus, essayant de l'entamer[1]. C'est du cuivre du temps des païens ; c'est plus dur que je ne sais quoi.

— Si j'avais mon ciseau à froid[2] (il paraît que c'était un 295 apprenti serrurier), je lui ferais bientôt sauter ses grands yeux blancs, comme je tirerais une amande de sa coquille. Il y a pour plus de cent sous d'argent. »

Ils firent quelques pas en s'éloignant.

« Il faut que je souhaite le bonsoir à l'idole », dit le plus 300 grand des apprentis, s'arrêtant tout à coup.

Il se baissa, et probablement ramassa une pierre. Je le vis déployer le bras, lancer quelque chose, et aussitôt un coup sonore retentit sur le bronze. Au même instant l'apprenti porta la main à sa tête en poussant un cri de douleur.

305 « Elle me l'a rejetée ! » s'écria-t-il.

Et mes deux polissons prirent la fuite à toutes jambes. Il était évident que la pierre avait rebondi sur le métal, et avait puni ce drôle de l'outrage[3] qu'il faisait à la déesse. Je fermai la fenêtre en riant de bon cœur.

310 « Encore un Vandale[4] puni par Vénus ! Puissent tous les destructeurs de nos vieux monuments avoir ainsi la tête cassée ! » Sur ce souhait charitable, je m'endormis.

---

notes

1. entamer : faire une incision, une coupure.

2. ciseau à froid : outil plat servant à couper les métaux sans avoir à les chauffer à la forge.

3. outrage : insulte.

4. Vandale : qui appartient au groupement de peuples germaniques qui pillèrent Rome en 455 apr. J.-C. Par la suite, personne qui détruit, qui détériore par ignorance, bêtise ou malveillance.

Au fil du texte

AVEZ-VOUS BIEN LU ?

1. D'après les indications données par le texte, quel jour de la semaine a-t-on fixé pour le mariage ? Cherchez l'étymologie* de ce jour de la semaine.

2. Combien de convives partagent le repas du soir et qui sont-ils ?

3. La chambre du narrateur* se situe...
a) au deuxième étage, loin de la chambre des futurs jeunes mariés. □
b) au premier étage, au bout d'un corridor. □
c) au premier étage, près de la chambre d'Alphonse. □

4. Quelle est la hauteur de la statue ? À quelle distance de la statue le narrateur se trouve-t-il lorsqu'il la regarde depuis la fenêtre de sa chambre ? Répondez en fonction du système métrique actuel.

ÉTUDIER LE VOCABULAIRE ET LA GRAMMAIRE

5. Reportez-vous à la note sur le mot « *Terme* » (l. 136) : en quoi le fait de caractériser Alphonse par le mot « *Terme* » prépare-t-il doublement le lecteur à établir une relation entre lui et la statue de Vénus ?

6. Quelle est, aux lignes 143-144, la figure de style* qui vient renforcer l'impression laissée par le mot « *Terme* » ?

7. Quand il parle des « *présents de Vénus* » (l. 229) et des blessures qu'elle peut infliger, à quoi M. de Peyrehorade fait-il allusion ?

étymologie : origine ou filiation d'un mot.

narrateur : celui qui raconte.

une toise : 1,94 m = 6 pieds.

figure de style : procédé qui consiste à rendre le langage plus expressif, pour mieux frapper l'imagination.

ÉTUDIER LE DISCOURS

8. Les paroles rapportées.

a) Quel est le type de discours choisi par l'auteur pour M. de Peyrehorade ?

b) Quel est le signe de ponctuation qui revient le plus souvent dans les paroles du provincial ?

9. Quelles remarques du narrateur (l. 235, l. 252) vous permettent-elles d'affirmer qu'il s'agit d'une narration *a posteriori**?

10. Relevez toutes les formulations vagues (l. 238 à 263) qui soulignent dans cet extrait la difficulté du narrateur, soucieux d'exactitude, à rendre compte de la scène.

a posteriori :
locution latine qui signifie « en partant de ce qui vient après », qui est postérieur à l'expérience.

énumération :
procédé qui consiste à juxtaposer des mots de même nature grammaticale.

ÉTUDIER LE GENRE : LA NOUVELLE

11. Quels sont les personnages décrits et quelle est la place occupée par leur portrait dans ce passage ?

12. Quelle caractéristique spécifique au genre de la nouvelle pouvez-vous dégager de cette dernière observation ?

ÉTUDIER L'ÉCRITURE

13. Observez les énumérations* servant à décrire les deux hôtes du narrateur : quelle remarque faites-vous sur la nature des mots qui les constituent ?

14. Quels effets ces énumérations produisent-elles sur le rythme de la phrase et en quoi nous renseignent-elles sur le comportement des personnages ?

ÉTUDIER UN THÈME : LA STATUE

15. Une atmosphère romantique* (l. 264) : relevez les termes qui précisent les sentiments du narrateur face au paysage. À quels champs lexicaux* appartiennent-ils ?

16. Montrez comment le narrateur structure l'espace (l. 272) qu'il décrit de manière quasi géométrique, comme un archéologue ferait un relevé.

17. Comment est expliqué, de manière différente, le retour de la pierre par les apprentis et par le narrateur ?

18. Entre la réaction naïve des deux apprentis et l'explication rationnelle du narrateur, quelle position est amené à prendre le lecteur ?

romantique : qui évoque des attitudes et des thèmes chers aux artistes romantiques : sensibilité, exaltation, rêverie de l'homme face à la nature.

champ lexical : ensemble de mots se rapportant à un même thème.

ÉTUDIER LA FONCTION DE CET EXTRAIT

19. Sous forme de tableau, indiquez les personnages qui sont favorables à la statue et ceux qui la rejettent, en précisant à chaque fois la nature de leurs sentiments.

20. Quel est, curieusement, le seul personnage à rester indifférent ?

21. Dans les paroles de M. de Peyrehorade, comment apparaît Mlle de Puygarrig à côté de la statue ?

À VOS PLUMES !

22. En deux phrases, dans un récit au passé, raconte sur un rythme accéléré et avec vivacité les efforts d'Étienne lorsqu'il a essayé d'entamer la statue avec sa lime. Utilisez, comme Mérimée, de longues juxtapositions de verbes d'action.

Il était grand jour quand je me réveillai. Auprès de mon lit étaient, d'un côté, M. de Peyrehorade, en robe de chambre ; de l'autre, un domestique envoyé par sa femme, une tasse de chocolat à la main.

« Allons, debout, Parisien ! Voilà bien mes paresseux de la capitale ! disait mon hôte pendant que je m'habillais à la hâte. Il est huit heures, et encore au lit ! Je suis levé, moi, depuis six heures. Voilà trois fois que je monte ; je me suis approché de votre porte sur la pointe du pied : personne, nul signe de vie. Cela vous fera mal de trop dormir à votre âge. Et ma Vénus que vous n'avez pas encore vue ! Allons, prenez-moi vite cette tasse de chocolat de Barcelone[1]… Vraie contrebande… Du chocolat comme on n'en a pas à Paris. Prenez des forces, car lorsque vous serez devant ma Vénus, on ne pourra plus vous en arracher. »

En cinq minutes je fus prêt, c'est-à-dire à moitié rasé, mal boutonné, et brûlé par le chocolat que j'avalai bouillant. Je descendis dans le jardin, et me trouvai devant une admirable statue.

C'était bien une Vénus, et d'une merveilleuse beauté. Elle avait le haut du corps nu, comme les anciens représentaient d'ordinaire les grandes divinités ; la main droite, levée à la hauteur du sein, était tournée, la paume en dedans, le pouce et les deux premiers doigts étendus, les deux autres légèrement ployés. L'autre main, rapprochée de la hanche, soutenait la draperie qui couvrait la partie inférieure du corps. L'attitude de cette statue rappelait celle du *Joueur de mourre*[2]

notes

1. chocolat de Barcelone : chocolat espagnol réputé, acheté en contrebande car les droits de douane étaient élevés.

2. joueur de mourre : dans cet ancien jeu, on doit deviner très rapidement le nombre de doigts levés par l'adversaire.

340 qu'on désigne, je ne sais trop pourquoi, sous le nom de *Germanicus*[1]. Peut-être avait-on voulu représenter la déesse jouant au jeu de mourre.

Quoi qu'il en soit, il est impossible de voir quelque chose de plus parfait que le corps de cette Vénus ; rien de plus
345 suave[2], de plus voluptueux[3] que ses contours ; rien de plus élégant et de plus noble que sa draperie. Je m'attendais à quelque ouvrage du Bas-Empire[4] ; je voyais un chef-d'œuvre du meilleur temps de la statuaire. Ce qui me frappait surtout, c'était l'exquise vérité des formes, en sorte
350 qu'on aurait pu les croire moulées sur nature, si la nature produisait d'aussi parfaits modèles.

La chevelure, relevée sur le front, paraissait avoir été dorée autrefois. La tête, petite comme celle de presque toutes les statues grecques, était légèrement inclinée en avant. Quant à
355 la figure, jamais je ne parviendrai à exprimer son caractère étrange, et dont le type ne se rapprochait de celui d'aucune statue antique dont il me souvienne. Ce n'était point cette beauté calme et sévère des sculpteurs grecs, qui, par système[5], donnaient à tous les traits une majestueuse immobi-
360 lité. Ici, au contraire, j'observais avec surprise l'intention marquée de l'artiste de rendre la malice arrivant jusqu'à la méchanceté. Tous les traits étaient contractés légèrement : les yeux un peu obliques, la bouche relevée des coins, les narines quelque peu gonflées. Dédain[6], ironie, cruauté, se
365 lisaient sur ce visage d'une incroyable beauté cependant. En

notes

1. Germanicus : allusion à une statue du Louvre représentant un général romain.

2. suave : doux, agréable.

3. voluptueux : qui suggère le plaisir.

4. Bas-Empire : période de l'Empire romain qui va de 235 à 476 apr. J.-C.

5. par système : selon leur conception. Une des caractéristiques de la divinité était en effet l'absence totale de trouble.

6. dédain : mépris.

vérité, plus on regardait cette admirable statue, et plus on éprouvait le sentiment pénible qu'une si merveilleuse beauté pût s'allier à l'absence de toute sensibilité.

370 « Si le modèle a jamais existé, dis-je à M. de Peyrehorade, et je doute que le ciel ait jamais produit une telle femme, que je plains ses amants ! Elle a dû se complaire à les faire mourir de désespoir. Il y a dans son expression quelque chose de féroce, et pourtant je n'ai jamais vu rien de si beau.

– *C'est Vénus tout entière à sa proie attachée*[1] ! »

375 s'écria M. de Peyrehorade, satisfait de mon enthousiasme.

Cette expression d'ironie infernale[2] était augmentée peut-être par le contraste de ses yeux incrustés d'argent et très brillants avec la patine[3] d'un vert noirâtre que le temps avait donnée à toute la statue. Ces yeux brillants produisaient

380 une certaine illusion qui rappelait la réalité, la vie. Je me souvins de ce que m'avait dit mon guide, qu'elle faisait baisser les yeux à ceux qui la regardaient. Cela était presque vrai, et je ne pus me défendre d'un mouvement de colère contre moi-même en me sentant un peu mal à mon aise devant

385 cette figure de bronze. « Maintenant que vous avez tout admiré en détail, mon cher collègue en antiquaillerie[4], dit mon hôte, ouvrons, s'il vous plaît, une conférence scientifique. Que dites-vous de cette inscription, à laquelle vous n'avez point pris garde encore ?

390 Il me montrait le socle de la statue, et j'y lus ces mots :
CAVE AMANTEM[5].

---

notes

1. **« C'est Vénus tout entière à sa proie attachée » :** (Racine, *Phèdre*, acte I, sc. 3, v. 306). Phèdre exprime ainsi la fatalité, la malédiction de son amour pour Hippolyte.

2. **infernale :** qui appartient au monde de l'enfer ou des Enfers.

3. **patine :** teinte que certaines matières, notamment le bronze, prennent avec le temps.

4. **antiquaillerie :** mot formé sur antiquité et qui en constitue un synonyme péjoratif et amusant.

5. **cave amantem :** latin, « prends garde à celle ou à celui qui aime ».

Le *Doryphore*,
copie en marbre d'après l'original de Polyclète (ve siècle av. J.-C.).
Musée de Naples.

Au fil du texte

AVEZ-VOUS BIEN LU ?

1. Relevez les indications temporelles : quand se situe ce passage ?

2. Telle qu'elle apparaît, la déesse Vénus est-elle représentée :

a) totalement nue. ☐   b) à moitié vêtue. ☐

c) drapée d'un voile qui recouvre tout son corps. ☐

3. Cochez la (les) bonne(s) réponse(s). La statue est :

a) une statue du meilleur temps de la statuaire. ☐

b) une statue romaine du Bas-Empire (235 à 476 apr. J.-C.). ☐

c) une statue dont on ne peut préciser exactement l'origine. ☐

présentatif : mot ou groupe de mot (c'est, voici, il y a...) servant à mettre un autre mot en valeur.

narrateur : celui qui raconte.

ÉTUDIER LE VOCABULAIRE ET LA GRAMMAIRE

4. « *C'était bien une Vénus, et d'une merveilleuse beauté.* » (l. 332) Quel est le temps verbal employé dans cette phrase ? Quel effet produit cet emploi par rapport aux temps verbaux des phrases précédentes ?

5. En vous aidant de la définition ci-contre, dites quel est le présentatif⋆ utilisé et quel est le mot mis ainsi en relief ?

6. Par quel autre procédé est mis en valeur l'expression « *d'une merveilleuse beauté* » ?

ÉTUDIER LE DISCOURS

7. Les marques de l'énonciation : un narrateur⋆ impliqué. Relevez les expressions, dans la description de la statue, où apparaissent les pronoms personnels de la première personne (*je* ou *me*).

8. Selon vous, s'agit-il d'une description objective⋆ ou subjective ?

9. Le narrateur exprime diverses réactions à la vue de la statue. Quelles sont-elles ? Classez-les dans deux ensembles différents et dites ce que vous en déduisez (quant à l'impression produite par la statue sur le narrateur).

ÉTUDIER L'ÉCRITURE

10. Relevez le nombre de paragraphes qui concernent la description de la Vénus.

11. En observant, dans chaque paragraphe, les parties de la statue décrites, dites selon quel ordre est organisée la description.

12. Quel élément de la statue semble retenir le plus l'attention du narrateur ?

ÉTUDIER LA NOUVELLE FANTASTIQUE

13. Quel est le point de vue choisi par Mérimée dans cette description ?

a) le point de vue interne (ou subjectif). ☐
b) le point de vue externe (ou objectif). ☐
c) le point de vue omniscient⋆. ☐

14. En quoi le choix de cette focalisation⋆ contribue-t-il à installer le lecteur dans le doute, la difficulté d'interprétation propre au fantastique (*cf.* p. 103) ?

ÉTUDIER UN THÈME : LA STATUE

15. Une statue troublante et unique : dans la description de la statue, relevez tous les termes qui

objectif : qui ne fait pas intervenir d'éléments personnels, affectifs dans ses jugements. L'antonyme est subjectif.

omniscient : qui voit tout et sait tout.

focalisation : point de vue narratif.

appartiennent au champ lexical★ de la beauté et tous ceux qui appartiennent à celui de la méchanceté.

16. « _Ces yeux brillants produisaient une certaine illusion..._ » Complétez cette phrase.

ÉTUDIER UNE SCULPTURE : LE DORYPHORE DE POLYCLÈTE (P. 35)

Pour étudier une sculpture, il faut indiquer :
_a)_ le sujet : religieux, légendaire, scène de la vie quotidienne...
_b)_ le matériau : bronze, cuivre, plâtre…
_c)_ le type de sculpture : ronde-bosse★, bas-relief★, haut-relief★.
_d)_ le style : – l'aspect général
                       – l'attitude
                       – l'expression
                       – les proportions
_e)_ l'auteur : son époque, ses apports, ses autres œuvres.
On conclut par une phrase qui résume les traits principaux et l'impression dominante.

champ lexical :
ensemble
de mots se
rapportant
à un même
thème.

ronde-bosse :
sculpture dont
on ne peut
faire le tour.

bas-relief :
sculpture en
faible saillie sur
un fond uni.

haut-relief :
sculpture
présentant
un relief très
saillant.

17. Complétez les différentes rubriques pour étudier la statue du _Doryphore_ (du grec _dory_, « lance », et _phore_, « porteur » → le porteur de lance) de Polyclète.

À VOS PLUMES !

18. En vous appuyant sur les conseils de méthode pour l'analyse d'une sculpture et en prenant modèle sur Mérimée, faites une description de la _Nana_ de Niki de Saint-Phalle en commençant par la phrase :
« _C'était bien une_ Nana _de Niki de Saint Phalle, et d'une incroyable légèreté._ »

Vous n'oublierez pas de mettre en valeur les sentiments contradictoires que vous inspire cette sculpture et d'organiser votre description en plusieurs paragraphes.

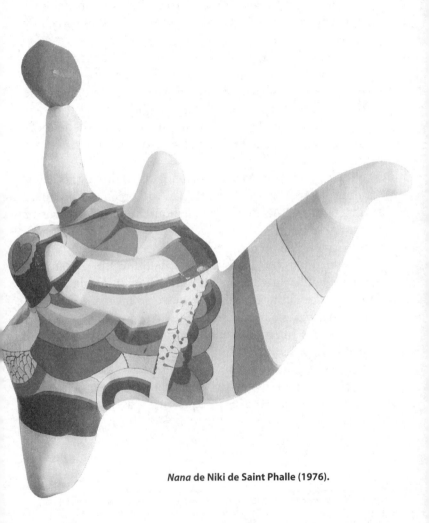

Nana de Niki de Saint Phalle (1976).

« *Qui dicis, doctissime*[1] *?* me demanda-t-il en se frottant les mains. Voyons si nous nous rencontrons sur le sens de ce *cave amantem* !

395 — Mais, répondis-je, il y a deux sens. On peut traduire : "Prends garde à celui qui t'aime, défie-toi des amants." Mais, dans ce sens, je ne sais si *cave amantem* serait d'une bonne latinité[2]. En voyant l'expression diabolique de la dame, je croirais plutôt que l'artiste a voulu mettre en garde le spec-
400 tateur contre cette terrible beauté. Je traduirais donc : "Prends garde à toi si *elle* t'aime."

— Humph ! dit M. de Peyrehorade, oui, c'est un sens admirable ; mais ne vous en déplaise, je préfère la première traduction, que je développerai pourtant. Vous connaissez
405 l'amant de Vénus ?

— Il y en a plusieurs.

— Oui ; mais le premier, c'est Vulcain[3]. N'a-t-on pas voulu dire : "Malgré toute ta beauté, ton air dédaigneux, tu auras un forgeron, un vilain boiteux pour amant ?" Leçon
410 profonde, Monsieur, pour les coquettes ! »

Je ne pus m'empêcher de sourire, tant l'explication me parut tirée par les cheveux.

« C'est une terrible langue que le latin avec sa concision[4] », observai-je pour éviter de contredire formellement mon
415 antiquaire, et je reculai de quelques pas afin de mieux contempler la statue.

---

notes

1. « *Quid dicis, doctissime ?* » : formule traditionnelle en latin, employée par les professeurs lors des soutenances de thèse, « Qu'en dis-tu, très savant collègue ? ».

2. latinité : manière de parler ou d'écrire correctement le latin.

3. Vulcain : dieu romain du feu et des forgerons, époux de Vénus. Identifié à l'Héphaïstos grec.

4. concision : qualité de ce qui exprime beaucoup de choses en peu de mots.

« Un instant, collègue ! dit M. de Peyrehorade en m'arrêtant par le bras, vous n'avez pas tout vu. Il y a encore une autre inscription. Montez sur le socle et regardez au bras
420 droit. » En parlant ainsi il m'aidait à monter.

Je m'accrochai sans trop de façons au cou de la Vénus, avec laquelle je commençais à me familiariser. Je la regardai même un instant *sous le nez*, et la trouvai de près encore plus méchante et encore plus belle. Puis je reconnus qu'il y avait,
425 gravés sur le bras, quelques caractères d'écriture cursive[1] antique, à ce qui me sembla. À grand renfort de besicles[2] j'épelai ce qui suit, et cependant M. de Peyrehorade répétait chaque mot à mesure que je le prononçais, approuvant du geste et de la voix. Je lus donc :
430 VENERI TVRBVL…
EVTYCHES MYRO
IMPERIO FECIT.

Après ce mot TVRBVL de la première ligne, il me semblait qu'il y avait quelques lettres effacées ; mais TVRBVL
435 était parfaitement lisible.

« Ce qui veut dire ?… » me demanda mon hôte radieux et souriant avec malice, car il pensait bien que je ne me tirerais pas facilement de ce TVRBVL.

« Il y a un mot que je ne m'explique pas encore, lui
440 dis-je ; tout le reste est facile. Eutychès[3] Myron a fait cette offrande à Vénus par son ordre.

– À merveille. Mais TVRBVL, qu'en faites-vous ? Qu'est-ce que TVRBVL ?

– TVRBVL m'embarrasse fort. Je cherche en vain

notes
1. écriture cursive : écriture tracée à main courante.

2. besicles : anciennes lunettes.

3. Eutychès : prénom grec qui signifie « prospère ».

445 quelque épithète[1] connue de Vénus qui puisse m'aider. Voyons, que diriez-vous de TVRBVLENTA ? Vénus qui trouble, qui agite… Vous vous apercevez que je suis toujours préoccupé de son expression méchante. TVRBVLENTA, ce n'est point une trop mauvaise épithète pour Vénus »,
450 ajoutai-je d'un ton modeste, car je n'étais pas moi-même fort satisfait de mon explication.

« Vénus turbulente ! Vénus la tapageuse ! Ah ! vous croyez donc que ma Vénus est une Vénus de cabaret ? Point du tout, monsieur ; c'est une Vénus de bonne compagnie. Mais je
455 vais vous expliquer ce TVRBVL… Au moins vous me promettez de ne point divulguer[2] ma découverte avant l'impression de mon mémoire. C'est que, voyez-vous, je m'en fais gloire, de cette trouvaille-là… Il faut bien que vous nous laissiez quelques épis à glaner, à nous autres pauvres
460 diables de provinciaux. Vous êtes si riches, messieurs les savants de Paris ! »

Du haut du piédestal, où j'étais toujours perché, je lui promis solennellement que je n'aurais jamais l'indignité de lui voler sa découverte.

465 « TVRBVL…, monsieur, dit-il en se rapprochant et baissant la voix de peur qu'un autre que moi ne pût l'entendre, lisez TVRBVLNERÆ.

– Je ne comprends pas davantage.

– Écoutez bien. À une lieue d'ici, au pied de la mon-
470 tagne, il y a un village qui s'appelle Boulternère[3]. C'est une corruption[4] du mot latin TVRBVLNERA. Rien de plus

notes

1. **épithète :** qualification attribuée à un dieu ou à un mortel.

2. **divulguer :** rendre public ce qui n'est pas connu de tous.

3. **Boulternère :** village situé à 3 km d'Ille-sur-Têt.

4. **corruption :** altération, déformation.

commun que ces inversions. Boulternère, monsieur, a été une ville romaine. Je m'en étais toujours douté, mais jamais je n'en avais eu la preuve. La preuve, la voilà. Cette Vénus
475 était la divinité topique[1] de la cité de Boulternère ; et ce mot de Boulternère, que je viens de démontrer d'origine antique, prouve une chose bien plus curieuse, c'est que Boulternère, avant d'être une ville romaine, a été une ville phénicienne ! »

480 Il s'arrêta un moment pour respirer et jouir de ma surprise. Je parvins à réprimer une forte envie de rire.

« En effet, poursuivit-il, TVRBVLNERA est pur phénicien, TVR, prononcez TOUR… TOUR et SOUR, même mot, n'est-ce pas ? SOUR est le nom phénicien de Tyr[2] ; je
485 n'ai pas besoin de vous en rappeler le sens. BVL, c'est Baal[3] ; Bâl, Bel, Bul, légères différences de prononciation. Quant à NERA, cela me donne un peu de peine. Je suis tenté de croire, faute de trouver un mot phénicien, que cela vient du grec νηρός[4], humide, marécageux. Ce serait donc un mot
490 hybride[5]. Pour justifier νηρός, je vous montrerai à Boulternère comment les ruisseaux de la montagne y forment des mares infectes. D'autre part, la terminaison NERA aurait pu être ajoutée beaucoup plus tard en l'honneur de Nera Pivesuvia, femme de Tetricus[6], laquelle aurait fait
495 quelque bien à la cité de Turbul. Mais, à cause des mares, je préfère l'étymologie[7] de νηρός. »

Il prit une prise de tabac d'un air satisfait.

---

notes

1. topique : locale.

2. Tyr : grande ville portuaire de l'ancienne Phénicie.

3. Baal : divinité phénicienne majeure.

4. νηρός : mot grec, à prononcer néros.

5. hybride : tiré de deux langues.

6. Tetricus : empereur romain d'Occident qui régna de 268 à 273 apr. J.-C.

7. étymologie : origine d'un mot.

« Mais laissons les Phéniciens, et revenons à l'inscription. Je traduis donc : "À Vénus de Boulternère Myron dédie par son ordre cette statue, cet ouvrage." »

Je me gardai bien de critiquer son étymologie, mais je voulus à mon tour faire preuve de pénétration[1], et je lui dis : « Halte-là, monsieur. Myron a consacré quelque chose, mais je ne vois nullement que ce soit cette statue.

— Comment ! s'écria-t-il. Myron n'était-il pas un fameux sculpteur grec ? Le talent se sera perpétué dans sa famille : c'est un de ses descendants qui aura fait cette statue. Il n'y a rien de plus sûr.

— Mais, répliquai-je, je vois sur le bras un petit trou. Je pense qu'il a servi à fixer quelque chose, un bracelet, par exemple, que ce Myron donna à Vénus en offrande expiatoire[2]. Myron était un amant malheureux. Vénus était irritée contre lui : il l'apaisa en lui consacrant un bracelet d'or. Remarquez que *fecit*[3] se prend fort souvent pour *consecravit*[4]. Ce sont termes synonymes. Je vous en montrerais plus d'un exemple si j'avais sous la main Gruter[5] ou bien Orelli[6]. Il est naturel qu'un amoureux voie Vénus en rêve, qu'il s'imagine qu'elle lui commande de donner un bracelet d'or à sa statue. Myron lui consacra un bracelet… Puis les barbares ou bien quelque voleur sacrilège…

— Ah ! qu'on voit bien que vous avez fait des romans ! s'écria mon hôte en me donnant la main pour descendre.

---

notes

1. pénétration : finesse, vivacité d'esprit.

2. expiatoire : pour expier, c'est-à-dire apaiser la colère divine quand on a commis une faute.

3. fecit : latin, « a fait », et par la suite « a consacré ».

4. consecravit : latin, « a consacré ».

5. Gruter : philologue hollandais, spécialiste des langues anciennes.

6. Orelli : philologue suisse, spécialiste des langues anciennes et de l'épigraphie (étude et interprétation des inscriptions).

Non, monsieur, c'est un ouvrage de l'école de Myron. Regardez seulement le travail, et vous en conviendrez. »

525 M'étant fait une loi de ne jamais contredire à outrance[1] les antiquaires entêtés, je baissai la tête d'un air convaincu en disant : « C'est un admirable morceau.

– Ah ! mon Dieu, s'écria M. de Peyrehorade, encore un trait de vandalisme[2] ! On aura jeté une pierre à ma statue ! »

530 Il venait d'apercevoir une marque blanche un peu au-dessus du sein de la Vénus. Je remarquai une trace semblable sur les doigts de la main droite, qui, je le supposai alors, avaient été touchés dans le trajet de la pierre, ou bien un fragment s'en était détaché par le choc et avait ricoché[3] sur

535 la main. Je contai à mon hôte l'insulte dont j'avais été témoin et la prompte punition qui s'en était suivie. Il en rit beaucoup, et, comparant l'apprenti à Diomède[4], il lui souhaita de voir, comme le héros grec, tous ses compagnons changés en oiseaux blancs.

notes

1. *outrance :* excès.

2. *vandalisme :* acte de destruction ou de détérioration.

3. *avait ricoché :* avait rebondi.

4. *Diomède :* héros de la mythologie grecque, compagnon d'Ulysse, qui avait blessé Aphrodite lors de la guerre de Troie. Dans des récits postérieurs à l'*Iliade*, on retrouve le personnage de Diomède tué par Daunus, tandis qu'Aphrodite, pour se venger, métamorphose ses compagnons en oiseaux blancs.

Au fil du texte

AVEZ-VOUS BIEN LU ?

1. Quelle est la première inscription en latin signalée par M. de Peyrehorade au narrateur★ ?

2. Où sont respectivement gravées les deux inscriptions ?

3. Comment le narrateur explique-t-il la présence d'un petit trou sur le bras de la statue ?

narrateur :
celui qui
raconte.

ambiguïté :
caractère
de ce qui
est ambigu
dans le
langage,
qui présente
deux ou
plusieurs sens
possibles.

ÉTUDIER LE VOCABULAIRE ET LA GRAMMAIRE

4. L'auteur joue sur les mots.

a) Complétez les phrases suivantes :

Ligne 388 : « *Que dites-vous de cette inscription, ...
.... ? »*

Ligne 396 : « *..,
défie-toi des amants. »*

Ligne 401 : « *Je traduirais donc : "...............................
.... si elle t'aime." »*

b) Quel est le même verbe employé dans ces trois phrases ? Dans quelle phrase le verbe n'a-t-il pas exactement le même sens ?

5. « *C'est une terrible langue que le latin avec sa concision* » (l. 413). Que signifie le nom « *concision* » ?

6. L'ambiguïté★ est souvent un des effets de la concision. Ainsi, comment peut-on comprendre différemment les compléments de nom suivants :

a) L'amour de la statue devenait de plus en plus fort.

b) On pouvait voir sur leurs visages la peur des ennemis.

7. Ligne 527 : « *C'est un admirable morceau.* »
À quelles diverses interprétations peut se prêter cette remarque du narrateur ?

ÉTUDIER LE DISCOURS

8. Pour le narrateur, M. de Peyrehorade fait partie de ces « *antiquaires ....* » qu'il a parfois l'occasion de rencontrer. Recopiez l'adjectif manquant.

9. À l'assaut de la statue : une tonalité comique★.
a) Lignes 410 à 425 : relevez dans ce passage un exemple de comique de geste★.
b) Lignes 460 à 465 : relevez dans ce passage un exemple de comique de situation★.

ÉTUDIER LA NOUVELLE FANTASTIQUE

10. En grec, ευτυχης, *eutychès*, est un adjectif qui peut signifier : heureux, prospère, qui réussit, fortuné. À laquelle de ces traductions Mérimée a-t-il pensé pour donner un tel prénom au sculpteur qu'il a imaginé ? Pourquoi ?

11. Quelle nouvelle information sur le narrateur apprend-on par l'intermédiaire de M. de Peyrehorade ? Quelle confusion favorise-t-elle ?

ÉTUDIER UN THÈME : LA STATUE

12. Une statue au double visage : vénéneuse ou vénérable ? Quels sont les caractères de la déesse Vénus★ mis en avant dans ce passage ?

13. Quel est le personnage qui la vénère aveuglément ?

comique :
qui provoque le rire.

comique de geste :
type de comique créé par les jeux de gestes et de mouvements des personnages (ex. : grimace, bataille, coups de bâton...).

comique de situation :
type de comique lié à la situation, à la position, aux circonstances dans lesquelles se trouvent les personnages (quiproquos, malentendus, retournements de situations...).

Vénus :
voir Aphrodite et Vénus, p. 107.

ÉTUDIER LA FONCTION DE CET EXTRAIT

14. Après le malaise éprouvé lors de la description de la statue, comment ce passage peut-il apaiser le lecteur ?

15. Avec le déchiffrement de l'inscription « *Cave amantem* », quel est le thème lié à la déesse Vénus qui apparaît de façon explicite pour la première fois dans la nouvelle ?

LIRE L'IMAGE

16. Quel personnage se trouve au centre de la fresque ? Quelle est son attitude ?

17. Quel aspect de Vénus le peintre a-t-il voulu mettre en évidence ?

Fresque représentant Vénus et Mars ; maison de Pompéi.

540   La cloche du déjeuner interrompit cet entretien classique, et, de même que la veille, je fus obligé de manger comme quatre. Puis vinrent des fermiers de M. de Peyrehorade ; et pendant qu'il leur donnait audience, son fils me mena voir une calèche[1] qu'il avait achetée à Toulouse

545 pour sa fiancée, et que j'admirai, cela va sans dire. Ensuite j'entrai avec lui dans l'écurie, où il me tint une demi-heure à me vanter ses chevaux, à me faire leur généalogie[2], à me conter les prix qu'ils avaient gagnés aux courses du département. Enfin il en vint à me parler de sa future, par la tran-

550 sition[3] d'une jument grise qu'il lui destinait.

    « Nous la verrons aujourd'hui, dit-il. Je ne sais si vous la trouverez jolie. Vous êtes difficiles, à Paris ; mais tout le monde, ici et à Perpignan, la trouve charmante. Le bon, c'est qu'elle est fort riche. Sa tante de Prades[4] lui a laissé son bien.

555 Oh ! je vais être fort heureux. »

    Je fus profondément choqué de voir un jeune homme paraître plus touché de la dot[5] que des beaux yeux de sa future.

    « Vous vous connaissez en bijoux, poursuivit

560 M. Alphonse, comment trouvez-vous ceci ? Voici l'anneau que je lui donnerai demain. »

    En parlant ainsi, il tirait de la première phalange de son petit doigt une grosse bague enrichie de diamants, et formée de deux mains entrelacées ; allusion qui me parut infiniment

565 poétique. Le travail en était ancien, mais je jugeai qu'on l'avait retouchée pour enchâsser[6] les diamants. Dans l'inté-

---

notes

1. calèche : voiture légère à quatre roues tirée par un ou plusieurs chevaux.

2. généalogie : suite d'ancêtres qui établit une filiation.

3. par la transition : par le biais.

4. Prades : ville des Pyrénées-Orientales.

5. dot : biens qu'une femme

apporte à l'occasion de son mariage.

6. enchâsser : fixer sur un support dans un creux aménagé à cet effet.

rieur de la bague se lisaient ces mots en lettres gothiques :
Sempr' ab ti, c'est-à-dire, toujours avec toi.

570 « C'est une jolie bague, lui dis-je ; mais ces diamants
ajoutés lui ont fait perdre un peu de son caractère.

– Oh ! elle est bien plus belle comme cela, répondit-il en
souriant. Il y a là pour douze cents francs de diamants. C'est
ma mère qui me l'a donnée. C'était une bague de famille,
très ancienne... du temps de la chevalerie. Elle avait servi à
575 ma grand-mère, qui la tenait de la sienne. Dieu sait quand
cela a été fait.

– L'usage à Paris, lui dis-je, est de donner un anneau tout
simple, ordinairement composé de deux métaux différents,
comme de l'or et du platine[1]. Tenez, cette autre bague, que
580 vous avez à ce doigt, serait fort convenable. Celle-ci, avec ses
diamants et ses mains en relief, est si grosse, qu'on ne pourrait mettre un gant par-dessus.

– Oh ! madame Alphonse s'arrangera comme elle vou-
dra. Je crois qu'elle sera toujours bien contente de l'avoir.
585 Douze cents francs au doigt, c'est agréable. Cette petite
bague-là, ajouta-t-il en regardant d'un air de satisfaction
l'anneau tout uni qu'il portait à la main, celle-là c'est une
femme à Paris qui me l'a donnée un jour de mardi gras. Ah !
comme je m'en suis donné[2] quand j'étais à Paris, il y a deux
590 ans ! C'est là qu'on s'amuse !... » Et il soupira de regret.

Nous devions dîner ce jour-là à Puygarrig, chez les
parents de la future ; nous montâmes en calèche, et nous
nous rendîmes au château, éloigné d'Ille d'environ une lieue
et demie. Je fus présenté et accueilli comme l'ami de la
595 famille. Je ne parlerai pas du dîner ni de la conversation qui

---

notes

1. platine : métal précieux.　　**2. je m'en suis donné :** je me
suis bien amusé.

s'ensuivit, et à laquelle je pris peu part. M. Alphonse, placé à côté de sa future, lui disait un mot à l'oreille tous les quarts d'heure. Pour elle, elle ne levait guère les yeux, et, chaque fois que son prétendu lui parlait, elle rougissait avec mo-
600 destie, mais lui répondait sans embarras.

Mademoiselle de Puygarrig avait dix-huit ans ; sa taille souple et délicate contrastait avec les formes osseuses de son robuste fiancé. Elle était non seulement belle, mais séduisante. J'admirais le naturel parfait de toutes ses réponses ; et
605 son air de bonté, qui pourtant n'était pas exempt[1] d'une légère teinte de malice, me rappela, malgré moi, la Vénus de mon hôte. Dans cette comparaison que je fis en moi-même, je me demandais si la supériorité de beauté qu'il fallait bien accorder à la statue ne tenait pas, en grande partie, à son
610 expression de tigresse ; car l'énergie, même dans les mauvaises passions, excite toujours en nous un étonnement et une espèce d'admiration involontaire.

« Quel dommage, me dis-je en quittant Puygarrig, qu'une si aimable personne soit riche, et que sa dot la fasse
615 rechercher par un homme indigne d'elle ! »

En revenant à Ille, et ne sachant trop que dire à madame de Peyrehorade, à qui je croyais convenable d'adresser quelquefois la parole :

« Vous êtes bien esprits forts[2] en Roussillon ! m'écriai-je ;
620 comment, madame, vous faites un mariage un vendredi ! À Paris nous aurions plus de superstition ; personne n'oserait prendre femme un tel jour.

---

notes

1. exempt : dénué, qui manque de.

2. esprits forts : personnes qui refusent toute superstition, toute croyance religieuse.

– Mon Dieu ! ne m'en parlez pas, me dit-elle, si cela n'avait dépendu que de moi, certes on eût choisi un autre
625 jour. Mais Peyrehorade l'a voulu, et il a fallu lui céder. Cela me fait de la peine pourtant. S'il arrivait quelque malheur ? Il faut bien qu'il y ait une raison, car enfin pourquoi tout le monde a-t-il peur du vendredi ?

– Vendredi ! s'écria son mari, c'est le jour de Vénus ! Bon
630 jour pour un mariage ! Vous le voyez, mon cher collègue, je ne pense qu'à ma Vénus. D'honneur[1] ! c'est à cause d'elle que j'ai choisi le vendredi. Demain, si vous voulez, avant la noce, nous lui ferons un petit sacrifice ; nous sacrifierons deux palombes[2], et si je savais où trouver de l'encens[3]…

635 – Fi donc, Peyrehorade ! interrompit sa femme scandalisée au dernier point. Encenser[4] une idole ! Ce serait une abomination ! Que dirait-on de nous dans le pays ?

– Au moins, dit M. de Peyrehorade, tu me permettras de lui mettre sur la tête une couronne de roses et de lis :

640 *Manibus date lilia plenis*[5].

Vous le voyez, monsieur, la charte[6] est un vain mot.

Nous n'avons pas la liberté des cultes[7] ! »

Les arrangements du lendemain furent réglés de la manière suivante. Tout le monde devait être prêt et en
645 toilette à dix heures précises. Le chocolat pris, on se rendrait en voiture à Puygarrig. Le mariage civil devait se faire à la

---

notes

1. d'honneur : sur ma parole d'honneur.

2. palombes : pigeons ramiers. La colombe, oiseau consacré à Vénus, est un pigeon à plumage blanc.

3. encens : substance résineuse brûlée lors des cérémonies religieuses.

4. encenser : honorer comme pour une idole.

5. « *manibus date lilia plenis* » : « *donnez des lis à pleines mains* » (Virgile, *Énéide*, VI, v. 883).

6. charte : allusion à la Charte constitutionnelle de 1814 révisée par Louis-Philippe en

1830, qui garantissait une « égale liberté » des religions et la « même protection » des cultes.

7. culte : pratique d'une religion.

mairie du village, et la cérémonie religieuse dans la chapelle du château. Viendrait ensuite un déjeuner. Après le déjeuner on passerait le temps comme l'on pourrait jusqu'à sept heures. À sept heures, on retournerait à Ille, chez M. de Peyrehorade, où devaient souper les deux familles réunies. Le reste s'ensuit naturellement. Ne pouvant danser, on avait voulu manger le plus possible.

Jeune fille.
Dessin de Ingres
(1780-1867).

Au fil du texte

AVEZ-VOUS BIEN LU ?

1. Le fiancé : quel personnage Alphonse évoque-t-il « *par la transition d'une jument grise* » (l. 550) ?

2. Pour quelle raison Alphonse est-il heureux de se marier ?

a) Sa promise a de beaux yeux. ☐
b) Sa fiancée apporte une dot importante. ☐
c) Tout le monde la trouve charmante. ☐

3. Combien de bagues Alphonse porte-t-il et quelle est leur origine respective ?

4. La fiancée : quel âge a Mlle de Puygarrig ?

5. À quelle heure les Peyrehorade et leurs invités doivent-ils se rendre à Puygarrig ? À quelle heure doivent-ils retourner à Ille ?

ÉTUDIER LE VOCABULAIRE ET LA GRAMMAIRE

6. « *Dans l'intérieur de la bague se lisaient ces mots en lettres gothiques :* Sempr'ab ti, *c'est-à-dire, toujours avec toi* » (l. 566 à 568).

a) Quel est le sujet de la forme verbale « *se lisaient* » ? Où est-il placé ? Quel est l'effet ainsi produit ?
b) Que fait l'auteur pour maintenir l'intérêt du lecteur sur la signification de cette inscription ?

7. Le mot « *malice* » (l. 606).
Souvenez-vous et complétez la phrase suivante, ligne 360 : « *Ici, au contraire, j'observais avec surprise l'intention marquée de l'artiste de rendre la malice arrivant jusqu'à la* .... »

a) De qui le narrateur* parlait-il ?

b) À quel terme ce mot était-il associé alors ? Est-ce le cas dans le portrait de Mlle de Puygarrig ?

8. Ligne 633 : Quelles sont les différentes significations du mot « *sacrifice* » ?

ÉTUDIER LE DISCOURS

9. Quand il évoque Mlle de Puygarrig, Alphonse parle-t-il de ses propres sentiments ? Que pouvez-vous en conclure ?

10. Dans son discours sur la jeune fille comme sur la bague, quels sont, plus que la valeur esthétique, les véritables motifs de contentement d'Alphonse ?

narrateur :
celui qui
raconte.

antonyme :
contraire.

ÉTUDIER LA NOUVELLE FANTASTIQUE

11. Dans le dialogue qui oppose Mme et M. de Peyrehorade, quelles sont les deux sources de conflit ? À qui est-il fait constamment allusion ?

12. En quoi ce qui est dit par l'un et par l'autre peut-il être inquiétant pour l'avenir ?

ÉTUDIER UN THÈME : LA STATUE

13. Quel personnage apparaît pour la première fois ?

14. Dans le portrait qu'en fait le narrateur, relevez le terme qui est l'exact antonyme* de celui qui avait été employé pour qualifier l'expression de la Vénus.

15. Quelles expressions du narrateur semblent indiquer que la comparaison entre les deux figures féminines s'impose à lui sans qu'il le veuille ?

16. En faveur de laquelle des deux figures féminines la comparaison s'établit-elle ? Pourquoi ?

ÉTUDIER L'ÉCRITURE

17. Par quels commentaires ironiques⋆ le narrateur exprime-t-il ses sentiments à l'égard d'Alphonse ?

À VOS PLUMES !

18. Un professeur rend un contrôle à un élève qui n'a pas appris sa leçon. Parmi ces trois propositions, retrouvez le commentaire ironique et complétez-le…
a) Une fois de plus, tu n'as pas fait ton travail…
b) Tu t'es surpassé(e). Bravo !…
c) Ne te décourage pas. J'espère que c'est un accident…

ÉTUDIER LA FONCTION DU PASSAGE

19. En quoi la caractérisation⋆ de M. Alphonse et le portrait de Mlle de Puygarrig préparent-ils la suite de la nouvelle ?

LIRE L'IMAGE

20. Montrez comment le portrait de jeune fille par Ingres (p. 53), comme celui de Mlle de Puygarrig, correspond à l'image idéale de la jeune fille au XIXe siècle.

ironique : du grec *eirôneia ;* « action d'interroger en feignant l'ignorance », manière de se moquer en disant le contraire de ce que l'on veut faire croire.

caractérisation : ce qui énonce les qualités ou les propriétés d'un être ou d'un objet.

Dès huit heures j'étais assis devant la Vénus, un crayon à la main, recommençant pour la vingtième fois la tête de la statue, sans pouvoir parvenir à en saisir l'expression. M. de Peyrehorade allait et venait autour de moi, me donnait des conseils, me répétait ses étymologies phéniciennes ; puis disposait des roses du Bengale[1] sur le piédestal de la statue, et d'un ton tragi-comique lui adressait des vœux pour le couple qui allait vivre sous son toit. Vers neuf heures il rentra pour songer à sa toilette, et en même temps parut M. Alphonse, bien serré dans un habit neuf, en gants blancs, souliers vernis, boutons ciselés, une rose à la boutonnière[2].

« Vous ferez le portrait de ma femme ? me dit-il en se penchant sur mon dessin. Elle est jolie aussi. »

En ce moment commençait, sur le jeu de paume dont j'ai parlé, une partie qui, sur-le-champ, attira l'attention de M. Alphonse. Et moi, fatigué, et désespérant de rendre cette diabolique figure, je quittai bientôt mon dessin pour regarder les joueurs. Il y avait parmi eux quelques muletiers espagnols arrivés de la veille. C'étaient des Aragonais[3] et des Navarrois[4], presque tous d'une adresse merveilleuse. Aussi les Illois, bien qu'encouragés par la présence et les conseils de M. Alphonse, furent-ils assez promptement battus par ces nouveaux champions. Les spectateurs nationaux étaient consternés. M. Alphonse regarda à sa montre. Il n'était encore que neuf heures et demie. Sa mère n'était pas coiffée. Il n'hésita plus ; il ôta son habit, demanda une veste, et

---

notes

1. roses du Bengale : variété de roses qui refleurit en permanence et qui fut introduite en France au XVIIIe siècle.

2. rose à la boutonnière : on se rappelle que la rose est la fleur traditionnellement consacrée à Vénus, car elle représente à la fois la pureté et l'amour.

3. Aragonais : habitant de l'Aragon, région du nord de l'Espagne limitrophe de la France.

4. Navarrois : habitant de la Navarre, région d'Espagne.

680 défia les Espagnols. Je le regardais faire en souriant, et un peu surpris.

« Il faut soutenir l'honneur du pays », dit-il.

Alors je le trouvai vraiment beau. Il était passionné. Sa toilette, qui l'occupait si fort tout à l'heure, n'était plus rien 685 pour lui. Quelques minutes avant il eût craint de tourner la tête de peur de déranger sa cravate. Maintenant il ne pensait plus à ses cheveux frisés ni à son jabot[1] si bien plissé. Et sa fiancée ?… Ma foi, si cela eût été nécessaire, il aurait, je crois, fait ajourner[2] le mariage. Je le vis chausser à la hâte une paire 690 de sandales, retrousser ses manches, et, d'un air assuré, se mettre à la tête du parti vaincu, comme César ralliant ses soldats à Dyrrachium[3]. Je sautai la haie, et me plaçai commodément à l'ombre d'un micocoulier[4], de façon à bien voir les deux camps.

695 Contre l'attente générale, M. Alphonse manqua la première balle ; il est vrai qu'elle vint rasant la terre et lancée avec une force surprenante par un Aragonais qui paraissait être le chef des Espagnols.

C'était un homme d'une quarantaine d'années, sec et 700 nerveux, haut de six pieds, et sa peau olivâtre avait une teinte presque aussi foncée que le bronze de la Vénus. M. Alphonse jeta sa raquette à terre avec fureur.

« C'est cette maudite bague, s'écria-t-il, qui me serre le doigt, et me fait manquer une balle sûre ! »

705 Il ôta, non sans peine, sa bague de diamants : je m'approchais pour la recevoir ; mais il me prévint[5], courut à la

---

notes

1. jabot : plissé de dentelle ornant le devant d'une chemise.

2. ajourner : renvoyer à une date ultérieure.

3. Dyrrachium : ville d'Illyrie (Albanie actuelle) où César fut battu par Pompée en 48 av. J.-C.

4. micocoulier : arbre, sorte d'orme.

5. il me prévint : il me devança.

Vénus, lui passa la bague au doigt annulaire, et reprit son poste à la tête des Illois.

Il était pâle, mais calme et résolu. Dès lors il ne fit plus
710 une seule faute, et les Espagnols furent battus complètement. Ce fut un beau spectacle que l'enthousiasme des spectateurs : les uns poussaient mille cris de joie en jetant leurs bonnets en l'air ; d'autres lui serraient les mains, l'appelant l'honneur du pays. S'il eût repoussé une invasion, je doute qu'il eût
715 reçu des félicitations plus vives et plus sincères. Le chagrin des vaincus ajoutait encore à l'éclat de sa victoire.

« Nous ferons d'autres parties, mon brave, dit-il à l'Aragonais d'un ton de supériorité ; mais je vous rendrai des points[1]. »

720 J'aurais désiré que M. Alphonse fût plus modeste, et je fus presque peiné de l'humiliation de son rival.

Le géant espagnol ressentit profondément cette insulte. Je le vis pâlir sous sa peau basanée[2]. Il regardait d'un air morne[3] sa raquette en serrant les dents ; puis, d'une voix étouffée, il
725 dit tout bas : *Me lo pagarás*[4].

La voix de M. de Peyrehorade troubla le triomphe de son fils ; mon hôte, fort étonné de ne point le trouver présidant aux apprêts de la calèche neuve, le fut bien plus encore en le voyant tout en sueur, la raquette à la main. M. Alphonse cou-
730 rut à la maison, se lava la figure et les mains, remit son habit neuf et ses souliers vernis, et cinq minutes après nous étions au grand trot sur la route de Puygarrig. Tous les joueurs de paume de la ville et grand nombre de spectateurs nous

notes

1. **mais je vous rendrai des points :** mais je vous donnerai des points d'avance (pour vous laisser un avantage, puisque vous êtes plus faible).

2. **basanée :** hâlée, bronzée.

3. **morne :** abattu, triste.

4. **« me lo pagarás » :** en espagnol, signifie « tu me le paieras ».

suivirent avec des cris de joie. À peine les chevaux vigoureux
735 qui nous traînaient pouvaient-ils maintenir leur avance sur
ces intrépides Catalans.

**Gravure du début du XIXe siècle.
Plan général.**

La longue Paume des Champs Elisés.

Plan moyen.

Plan rapproché.

Gros plan.

Au fil du texte

AVEZ-VOUS BIEN LU ?

1. Quel est le jour de la semaine où se situe ce passage ?

2. En vous reportant aux indications temporelles données par le narrateur*, dites combien de temps dure approximativement la partie de jeu de paume engagée par Alphonse.

3. Où s'installe le narrateur afin de mieux voir la partie de jeu ?

narrateur : celui qui raconte.

figure de style : procédé qui consiste à rendre le langage plus expressif, pour mieux frapper l'imagination.

ÉTUDIER LE VOCABULAIRE ET LA GRAMMAIRE

4. Quel est l'adjectif employé par Alphonse pour qualifier sa bague ? Quelle double signification peut-il avoir ?

5. Lignes 706-707 : « *mais il me prévint, courut à la Vénus, lui passa la bague au doigt annulaire,... ».* Qu'est-ce qu'un « *doigt annulaire* » ? Dans le registre courant, que signifie l'expression « passer la bague au doigt » ? Aidez-vous d'un dictionnaire.

6. Ligne 722 : « *Le géant espagnol* ». Par quelle figure de style* le narrateur désigne-t-il l'Aragonais ? Sur quel aspect insiste-t-il ?

7. Quel est le temps employé par le joueur aragonais lorsqu'il dit : « *Me lo pagarás* » (l. 725) ? Quelle peut être ici la valeur de ce temps ?

ÉTUDIER LE DISCOURS

8. L'impossible dessin... Relevez les expressions qui soulignent la difficulté du narrateur à dessiner le visage de la Vénus (l. 654 à 671).

9. Comment cette difficulté peut-elle s'expliquer ?

10. Quand le narrateur avait décrit la statue, était-il parvenu à être plus précis sur l'expression de son visage ?

métamorphose :
transformation,
changement
de forme,
de nature ou
de structure.

ÉTUDIER LA NOUVELLE FANTASTIQUE

11. Quelles sont les deux explications de la victoire au jeu d'Alphonse que laisse entrevoir le narrateur ?

12. En quoi le portrait de l'Aragonais rappelle-t-il celui de la statue ?

ÉTUDIER UN THÈME : LA STATUE

13. Par quelle formule Alphonse établit-il un lien entre la statue de Vénus et sa future femme ?

14. Chacun des quatre personnages principaux de ce passage est relié par l'auteur à la Vénus. Dites de quelle façon pour chacun d'entre eux.

ÉTUDIER L'ÉCRITURE

15. Lignes 683 et suivantes : montrez, après en avoir fait un relevé, que le jeu des oppositions temporelles insiste sur la métamorphose* d'Alphonse.

ÉTUDIER LA FONCTION DE CET EXTRAIT

16. Lignes 687 à 689 : « *Et sa fiancée ?... Ma foi, si cela eût été nécessaire, il aurait, je crois, fait ajourner le mariage.* »

À quelle autre « figure féminine » Alphonse a-t-il, en apparence ou symboliquement, engagé sa foi ?

À VOS PLUMES !

17. En quelques lignes et en vous inspirant du procédé de Mérimée, décrivez la transformation d'un camarade avant/après un résultat d'examen.

18. Si vous deviez filmer la partie de jeu de paume (l. 695 à 710), quels plans (plan général*, plan moyen*, plan rapproché*, gros plan*) choisiriez-vous pour marquer les différentes étapes du récit ?

plan général :
le cadre et les personnages sont vus de loin.

plan moyen :
les personnages sont cadrés en pied.

plan rapproché :
le personnage est cadré à la taille ou à la poitrine.

gros plan :
seule une partie du cadre ou des personnages est montrée en gros.

Pour l'ensemble de ces plans, voir les vignettes p. 60.

Tête
de Vénus.
Musée
du Louvre.

Nous étions à Puygarrig, et le cortège allait se mettre en marche pour la mairie, lorsque M. Alphonse, se frappant le front, me dit tout bas :

740 « Quelle brioche[1] ! J'ai oublié la bague ! Elle est au doigt de la Vénus, que le diable puisse emporter ! Ne le dites pas à ma mère au moins. Peut-être qu'elle ne s'apercevra de rien.

— Vous pourriez envoyer quelqu'un, lui dis-je.

745 — Bah ! mon domestique est resté à Ille. Ceux-ci, je ne m'y fie[2] guère. Douze cents francs de diamants ! cela pourrait en tenter plus d'un. D'ailleurs que penserait-on ici de ma distraction ? Ils se moqueraient trop de moi. Il m'appelleraient le mari de la statue… Pourvu qu'on ne me la vole
750 pas ! Heureusement que l'idole fait peur à mes coquins. Ils n'osent l'approcher à longueur de bras. Bah ! ce n'est rien ; j'ai une autre bague. »

Les deux cérémonies civile et religieuse s'accomplirent avec la pompe[3] convenable ; et mademoiselle de Puygarrig
755 reçut l'anneau d'une modiste[4] de Paris, sans se douter que son fiancé lui faisait le sacrifice d'un gage[5] amoureux. Puis on se mit à table, où l'on but, mangea, chanta même, le tout fort longuement. Je souffrais pour la mariée de la grosse joie qui éclatait autour d'elle ; pourtant elle faisait meilleure
760 contenance que je ne l'aurais espéré, et son embarras n'était ni de la gaucherie ni de l'affectation[6].

---

notes

1. **Quelle brioche !** : quelle bévue ! quelle erreur grossière ! (expression à la mode chez les dandys du XIXe siècle).

2. **je ne m'y fie guère** : je ne leur fais pas confiance.

3. **pompe** : faste, cérémonial somptueux.

4. **modiste** : personne qui confectionne ou qui vend des articles de mode, des chapeaux de femme.

5. **gage** : preuve, témoignage.

6. **affectation** : manque de naturel, de simplicité.

Peut-être le courage vient-il avec les situations difficiles. Le déjeuner terminé quand il plut à Dieu, il était quatre heures ; les hommes allèrent se promener dans le parc, qui était magnifique, ou regardèrent danser sur la pelouse du château les paysannes de Puygarrig, parées de leurs habits de fête. De la sorte, nous employâmes quelques heures. Cependant les femmes étaient fort empressées autour de la mariée, qui leur faisait admirer sa corbeille[1]. Puis elle changea de toilette, et je remarquai qu'elle couvrit ses beaux cheveux d'un bonnet et d'un chapeau à plumes, car les femmes n'ont rien de plus pressé que de prendre, aussitôt qu'elles le peuvent, les parures que l'usage leur défend de porter quand elles sont encore demoiselles.

Il était près de huit heures quand on se disposa à partir pour Ille. Mais d'abord eut lieu une scène pathétique[2]. La tante de mademoiselle Puygarrig, qui lui servait de mère, femme très âgée et fort dévote[3], ne devait point aller avec nous à la ville. Au départ, elle fit à sa nièce un sermon touchant sur ses devoirs d'épouse, duquel sermon résulta un torrent de larmes et des embrassements sans fin. M. de Peyrehorade comparait cette séparation à l'enlèvement des Sabines[4]. Nous partîmes pourtant, et, pendant la route, chacun s'évertua pour distraire la mariée et la faire rire ; mais ce fut en vain.

---

notes

1. corbeille : ensemble des présents offerts aux mariés et mis autrefois dans une corbeille.

2. pathétique : très émouvante.

3. dévote : pieuse, très croyante.

4. l'enlèvement des Sabines : Romulus et ses compagnons, après la fondation de Rome, n'ayant pas de femmes, enlevèrent les Sabines – jeunes filles d'un peuple voisin du Latium – pour les épouser (cf. le tableau de Nicolas Poussin, p. 66).

L'Enlèvement des Sabines. Nicolas Poussin (1594-1665).
Peinture, musée du Louvre.

À Ille, le souper nous attendait, et quel souper ! Si la grosse joie du matin m'avait choqué, je le fus bien davantage des équivoques[1] et des plaisanteries dont le marié et la mariée surtout furent l'objet. Le marié, qui avait disparu un instant avant de se mettre à table, était pâle et d'un sérieux de glace. Il buvait à chaque instant du vieux vin de Collioure[2] presque aussi fort que de l'eau-de-vie. J'étais à côté de lui, et me crus obligé de l'avertir :

« Prenez garde ! on dit que le vin… »

Je ne sais quelle sottise je lui dis pour me mettre à l'unisson des convives.

Il me poussa le genou, et très bas il me dit :

« Quand on se lèvera de table…, que je puisse vous dire deux mots. »

Son ton solennel me surprit. Je le regardai plus attentivement, et je remarquai l'étrange altération[3] de ses traits.

« Vous sentez-vous indisposé ? lui demandai-je.

– Non. »

Et il se remit à boire.

Cependant, au milieu des cris et des battements de mains, un enfant de onze ans, qui s'était glissé sous la table, montrait aux assistants un joli ruban blanc et rose qu'il venait de détacher de la cheville de la mariée. On appelle cela sa jarretière[4]. Elle fut aussitôt coupée par morceaux et distribuée aux jeunes gens, qui en ornèrent leur boutonnière, suivant un antique usage qui se conserve encore dans

notes

1. équivoques : propos susceptibles d'offrir plusieurs sens.

2. Collioure : ville des Pyrénées-Orientales, réputée pour ses vins.

3. altération : modification, changement.

4. jarretière : ruban maintenant le bas sur la jambe.

quelques familles patriarcales[1]. Ce fut pour la mariée une occasion de rougir jusqu'au blanc des yeux… Mais son trouble fut au comble lorsque M. de Peyrehorade, ayant

815 réclamé le silence, lui chanta quelques vers catalans, impromptus[2], disait-il. En voici le sens, si je l'ai bien compris :

« Qu'est-ce donc, mes amis ? Le vin que j'ai bu me fait-il voir double ? Il y a deux Vénus ici… »

Le marié tourna brusquement la tête d'un air effaré, qui
820 fit rire tout le monde.

« Oui, poursuivit M. de Peyrehorade, il y a deux Vénus sous mon toit. L'une, je l'ai trouvée dans la terre comme une truffe ; l'autre, descendue des cieux, vient de nous partager sa ceinture. »

825 Il voulait dire sa jarretière.

« Mon fils, choisis la Vénus romaine ou de la catalane celle que tu préfères. Le maraud prend la catalane, et sa part est la meilleure. La romaine est noire, la catalane est blanche. La romaine est froide, la catalane enflamme tout ce qui
830 l'approche. »

Cette chute[3] excita un tel hourra, des applaudissements si bruyants et des rires si sonores, que je crus que le plafond allait nous tomber sur la tête. Autour de la table il n'y avait que trois visages sérieux, ceux des mariés et le mien. J'avais
835 un grand mal de tête ; et puis, je ne sais pourquoi, un mariage m'attriste toujours. Celui-là, en outre, me dégoûtait un peu.

---

notes

1. patriarcales : qui rappellent les anciens patriarches et la simplicité de leurs mœurs.
2. impromptus : improvisés.

3. chute : formule brillante qui termine un texte (discours, poème, histoire drôle ou chanson).

Les derniers couplets ayant été chantés par l'adjoint du maire, et ils étaient fort lestes[1], je dois le dire, on passa dans le salon pour jouir du départ de la mariée, qui devait être bientôt conduite à sa chambre, car il était près de minuit.

M. Alphonse me tira dans l'embrasure[2] d'une fenêtre, et me dit en détournant les yeux :

«Vous allez vous moquer de moi… Mais je ne sais ce que j'ai… je suis ensorcelé ! le diable m'emporte ! »

La première pensée qui me vint fut qu'il se croyait menacé de quelque malheur du genre[3] de ceux dont parlent Montaigne et madame de Sévigné :

«Tout l'empire amoureux est plein d'histoires tragiques », etc.

Je croyais que ces sortes d'accidents n'arrivaient qu'aux gens d'esprit, me dis-je à moi-même.

«Vous avez trop bu de vin de Collioure, mon cher monsieur Alphonse, lui dis-je. Je vous avais prévenu.

– Oui, peut-être. Mais c'est quelque chose de bien plus terrible. »

Il avait la voix entrecoupée. Je le crus tout à fait ivre.

«Vous savez bien, mon anneau ? poursuivit-il après un silence.

– Eh bien ! on l'a pris ?

– Non.

– En ce cas, vous l'avez ?

---

notes

1. lestes : osés, qui offensent la pudeur.

2. embrasure : ouverture pratiquée dans un mur pour y placer une porte ou une fenêtre.

3. quelque malheur du genre : l'impossibilité d'accomplir son devoir conjugal… La citation est empruntée à Mme de Sévigné (lettre à sa fille, Mme de Grignan, 8 avril 1671).

– Non… je… je ne puis l'ôter du doigt de cette diable de Vénus.

865 – Bon ! vous n'avez pas tiré assez fort.

– Si fait… Mais la Vénus… elle a serré le doigt. »

Il me regardait fixement d'un air hagard, s'appuyant à l'espagnolette[1] pour ne pas tomber.

« Quel conte ! lui dis-je. Vous avez trop enfoncé l'anneau.
870 Demain vous l'aurez avec des tenailles. Mais prenez garde de gâter la statue.

– Non, vous dis-je. Le doigt de la Vénus est retiré, reployé ; elle serre la main, m'entendez-vous ?… C'est ma femme, apparemment, puisque je lui ai donné mon anneau… Elle
875 ne veut plus le rendre. »

J'éprouvai un frisson subit, et j'eus un instant la chair de poule. Puis, un grand soupir qu'il fit m'envoya une bouffée de vin, et toute émotion disparut.

Le misérable, pensai-je, est complètement ivre.

880 « Vous êtes antiquaire, monsieur, ajouta le marié d'un ton lamentable ; vous connaissez ces statues-là… Il y a peut-être quelque ressort, quelque diablerie[2], que je ne connais point… Si vous alliez voir ?

– Volontiers, dis-je. Venez avec moi.

885 – Non, j'aime mieux que vous y alliez seul. »

Je sortis du salon.

notes

1. espagnolette : système à poignée tournante servant à fermer les fenêtres.

2. diablerie : mécanisme ou machination diabolique.

Au fil du texte

AVEZ-VOUS BIEN LU ?

1. Pourquoi Alphonse n'envoie-t-il pas un domestique chercher la bague qu'il a oubliée à Ille ?
a) Il craint qu'on l'appelle « *le mari de la statue* ». ☐
b) Ses serviteurs auraient peur de la statue. ☐
c) Ille est trop éloignée de Puygarrig. ☐
d) Il n'a pas confiance dans les domestiques de Puygarrig. ☐

2. Lignes 755-756 : quel sacrifice Alphonse fait-il à sa fiancée ?

3. Ligne 775 : l'emploi du temps défini la veille a-t-il été respecté ?

4. Quel lieu écarté Alphonse choisit-il pour raconter au narrateur* ce qu'il a vécu ?
a) la salle à manger. ☐
b) un coin à l'écart près d'une fenêtre du salon. ☐
c) le jardin où se trouve la Vénus. ☐

narrateur : celui qui raconte.

pathétique : adj., qui émeut vivement ; *n. m.,* expression de ce qui est propre à émouvoir fortement.

ÉTUDIER LE VOCABULAIRE ET LA GRAMMAIRE

5. Lignes 762 et 772 : à l'intérieur de ce récit au passé, quel est le temps employé dans ces deux phrases ? Quelle est sa valeur ?

6. Lignes 775 à 785 : « *Il était près de huit heures* [...] *en vain.* » Relevez les termes qui justifient l'emploi de l'adjectif « *pathétique** » par le narrateur pour qualifier cette scène.

7. Après avoir relevé les indications données par le narrateur sur le visage d'Alphonse, dites quels sont les deux champs lexicaux★ prédominants.

8. Cherchez dans un dictionnaire le sens et l'étymologie du mot « *altération* » (l. 801).

champ lexical : ensemble des mots se rapportant à un même thème.

ellipse narrative : un événement inscrit dans le cadre chronologique de la fiction n'est pas raconté.

double énonciation : quand on rapporte les paroles d'un personnage, le dialogue est contenu dans le récit. L'énonciation est donc double : l'énoncé du narrateur et celui du personnage.

ÉTUDIER LE DISCOURS

9. Lignes 789 à 791 : « *Le marié, qui avait disparu un instant avant de se mettre à table, était pâle et d'un sérieux de glace.* » Quels sont les deux temps employés dans cette phrase ? Quel est le rapport qui s'établit entre les deux ?

10. Où était allé Alphonse ? Peut-on, en partie, combler cette ellipse narrative★ ?

11. La double énonciation★ : qui relate, pour les avoir vécus, les événements relatifs à cette ellipse ? à quel destinataire privilégié ?

ÉTUDIER LA NOUVELLE FANTASTIQUE

12. Comment s'explique la métamorphose d'Alphonse ?

13. Quelles sont les deux Vénus ? Montrez sous forme de tableau comment M. de Peyrehorade les oppose.

14. À quelle figure maléfique Alphonse associe-t-il constamment la Vénus ?

ÉTUDIER UN THÈME : LA STATUE

15. Qu'est-ce qui prouve, dans les propos d'Alphonse, qu'il considère la statue comme un être doué de vie ?

16. Pourquoi Alphonse ne peut-il récupérer sa bague ? Quelles sont les interprétations d'Alphonse et quelles sont celles du narrateur ?

17. Quelles sont les réactions du narrateur par rapport au « conte » du jeune marié ? Reste-t-il insensible jusqu'au bout ?

ÉTUDIER LA FONCTION DE L'EXTRAIT

18. Pour quelles raisons différentes trois personnages offrent-ils des « *visages sérieux* » (l. 834) au milieu des rires des convives ?

19. Que semble annoncer cette gravité à ce moment du déroulement dramatique ?

LIRE L'IMAGE

20. Quelle impression générale se dégage du tableau *L'Enlèvement des Sabines* par Poussin (p. 66) ? Trouvez-vous la réflexion de M. de Peyrehorade bien venue ?

À VOS PLUMES !

21. Un objet a bougé dans votre chambre alors que vous vous croyez seul(e) : hallucination, blague d'un copain ou révolte de la matière ? Sous la forme d'un dialogue rapide, vous racontez l'épisode à votre meilleur(e) ami(e) qui justement vient d'arriver.

Le temps avait changé pendant le souper, et la pluie commençait à tomber avec force. J'allais demander un parapluie, lorsqu'une réflexion m'arrêta. Je serais un bien grand sot, me
890 dis-je, d'aller vérifier ce que m'a dit un homme ivre ! Peut-être, d'ailleurs, a-t-il voulu me faire quelque méchante plaisanterie pour apprêter à rire à ces honnêtes provinciaux ; et le moins qu'il puisse m'en arriver, c'est d'être trempé jusqu'aux os et d'attraper un bon rhume.

895 De la porte je jetai un coup d'œil sur la statue ruisselante d'eau, et je montai dans ma chambre sans rentrer dans le salon. Je me couchai ; mais le sommeil fut long à venir. Toutes les scènes de la journée se représentaient à mon esprit. Je pensais à cette jeune fille si belle et si pure aban-
900 donnée à un ivrogne brutal. Quelle odieuse chose, me disais-je, qu'un mariage de convenance[1] ! Un maire revêt une écharpe tricolore, un curé une étole, et voilà la plus honnête fille du monde livrée au Minotaure[2] ! Deux êtres qui ne s'aiment pas, que peuvent-ils se dire dans un pareil moment,
905 que deux amants achèteraient au prix de leur existence ? Une femme peut-elle jamais aimer un homme qu'elle aura vu grossier une fois ? Les premières impressions ne s'effacent pas, et j'en suis sûr, ce M. Alphonse méritera bien d'être haï…

910 Durant mon monologue, que j'abrège beaucoup, j'avais entendu force allées et venues dans la maison, les portes s'ouvrir et se fermer, des voitures partir ; puis il me semblait avoir entendu sur l'escalier les pas légers de plusieurs femmes se dirigeant vers l'extrémité du corridor opposé à ma

notes

1. mariage de convenance : mariage de raison.

2. Minotaure : monstre au corps d'homme et à la tête de taureau, né de Pasiphaé, reine de Crète, et d'un taureau. Le roi Minos l'avait fait enfermer dans un labyrinthe conçu par Dédale. Chaque année sept garçons et sept filles d'Athènes devaient lui être livrés en pâture.

915 chambre. C'était probablement le cortège de la mariée qu'on menait au lit. Ensuite on avait redescendu l'escalier. La porte de madame de Peyrehorade s'était fermée. Que cette pauvre fille, me dis-je, doit être troublée et mal à son aise ! Je me tournais dans mon lit de mauvaise humeur. Un

920 garçon[1] joue un sot rôle dans une maison où s'accomplit un mariage.

Le silence régnait depuis quelque temps lorsqu'il fut troublé par des pas lourds qui montaient l'escalier. Les marches de bois craquèrent fortement.

925 « Quel butor[2] ! m'écriai-je. Je parie qu'il va tomber dans l'escalier. »

Tout redevint tranquille. Je pris un livre pour changer le cours de mes idées. C'était une statistique du département, ornée d'un mémoire de M. de Peyrehorade sur les monu-

930 ments druidiques[3] de l'arrondissement de Prades. Je m'assoupis à la troisième page.

Je dormis mal et me réveillai plusieurs fois. Il pouvait être cinq heures du matin, et j'étais éveillé depuis plus de vingt minutes lorsque le coq chanta. Le jour allait se lever. Alors

935 j'entendis distinctement les mêmes pas lourds, le même craquement de l'escalier que j'avais entendus avant de m'endormir. Cela me parut singulier[4]. J'essayai, en bâillant, de deviner pourquoi M. Alphonse se levait si matin. Je n'imaginais rien de vraisemblable. J'allais refermer les yeux lorsque

notes

1. garçon : célibataire.
2. butor : homme grossier (par allusion au cri de cet oiseau qui est une sorte de beuglement puissant).

3. druidiques : relatifs aux druides ; sans doute s'agit-il de menhirs ou de dolmens gaulois.

4. singulier : étonnant, étrange.

940 mon attention fut de nouveau excitée par des trépignements étranges auxquels se mêlèrent bientôt le tintement des sonnettes et le bruit de portes qui s'ouvraient avec fracas, puis je distinguai des cris confus.

Mon ivrogne aura mis le feu quelque part ! pensais-je en 945 sautant à bas de mon lit.

Je m'habillai rapidement et j'entrai dans le corridor. De l'extrémité opposée partaient des cris et des lamentations, et une voix déchirante dominait toutes les autres : « Mon fils ! mon fils ! » Il était évident qu'un malheur était arrivé à 950 M. Alphonse. Je courus à la chambre nuptiale : elle était pleine de monde. Le premier spectacle qui frappa ma vue fut le jeune homme à demi vêtu, étendu en travers sur le lit dont le bois était brisé. Il était livide[1], sans mouvement. Sa mère pleurait et criait à côté de lui. M. de Peyrehorade 955 s'agitait, lui frottait les tempes avec de l'eau de Cologne ou lui mettait des sels[2] sous le nez. Hélas ! depuis longtemps son fils était mort. Sur un canapé, à l'autre bout de la chambre, était la mariée, en proie à d'horribles convulsions. Elle poussait des cris inarticulés, et deux robustes servantes avaient 960 toutes les peines du monde à la contenir.

« Mon Dieu ! m'écriai-je, qu'est-il donc arrivé ? »

Je m'approchai du lit et soulevai le corps du malheureux jeune homme ; il était déjà raide et froid. Ses dents serrées et sa figure noircie exprimaient les plus affreuses angoisses. Il 965 paraissait assez que sa mort avait été violente et son agonie[3] terrible. Nulle trace de sang cependant sur ses habits.

notes

1. livide : très pâle.
2. sels : sels volatils qu'on donnait autrefois à une personne évanouie pour la ranimer.
3. agonie : période de transition entre la vie et la mort.

J'écartai sa chemise et vis sur sa poitrine une empreinte livide qui se prolongeait sur les côtes et le dos. On eût dit qu'il avait été étreint dans un cercle de fer. Mon pied posa sur quelque chose de dur qui se trouvait sur le tapis ; je me baissai et vis la bague de diamants.

J'entraînai M. de Peyrehorade et sa femme dans leur chambre ; puis j'y fis porter la mariée. « Vous avez encore une fille, leur dis-je, vous lui devez vos soins. » Alors je les laissai seuls.

Il ne me paraissait pas douteux que M. Alphonse n'eût été victime d'un assassinat dont les auteurs avaient trouvé moyen de s'introduire la nuit dans la chambre de la mariée. Ces meurtrissures à la poitrine, leur direction circulaire m'embarrassaient beaucoup pourtant, car un bâton ou une barre de fer n'aurait pu les produire. Tout d'un coup je me souvins d'avoir entendu dire qu'à Valence[1] des braves[2] se servaient de longs sacs de cuir remplis de sable fin pour assommer les gens dont on leur avait payé la mort. Aussitôt je me rappelai le muletier aragonais et sa menace ; toutefois j'osais à peine penser qu'il eût tiré une si terrible vengeance d'une plaisanterie légère.

J'allais dans la maison, cherchant partout des traces d'effraction, et n'en trouvant nulle part. Je descendis dans le jardin pour voir si les assassins avaient pu s'introduire de ce côté ; mais je ne trouvai aucun indice certain. La pluie de la veille avait d'ailleurs tellement détrempé le sol, qu'il n'aurait pu garder d'empreinte bien nette. J'observai pourtant quelques pas profondément imprimés dans la terre ; il y en avait dans deux directions contraires, mais sur une même

990

995

970

975

980

985

notes

1. Valence : port d'Espagne.   *2. braves :* de l'italien *bravi* ; assassins à gages, bandits.

ligne, partant de l'angle de la haie contiguë[1] au jeu de paume et aboutissant à la porte de la maison. Ce pouvaient être les pas de M. Alphonse lorsqu'il était allé chercher son anneau au doigt de la statue. D'un autre côté, la haie, en cet endroit, étant moins fourrée qu'ailleurs, ce devait être sur ce point que les meurtriers l'auraient franchie. Passant et repassant devant la statue, je m'arrêtai un instant pour la considérer. Cette fois, je l'avouerai, je ne pus contempler sans effroi son expression de méchanceté ironique ; et, la tête toute pleine des scènes horribles dont je venais d'être le témoin, il me sembla voir une divinité infernale applaudissant au malheur qui frappait cette maison.

Je regagnai ma chambre et j'y restai jusqu'à midi. Alors je sortis et demandai des nouvelles de mes hôtes. Ils étaient un peu plus calmes. Mademoiselle de Puygarrig, je devrais dire la veuve de M. Alphonse, avait repris connaissance. Elle avait même parlé au procureur du roi[2] de Perpignan, alors en tournée à Ille, et ce magistrat avait reçu sa déposition[3]. Il me demanda la mienne. Je lui dis ce que je savais, et ne lui cachai pas mes soupçons contre le muletier aragonais. Il ordonna qu'il fût arrêté sur-le-champ.

« Avez-vous appris quelque chose de madame Alphonse ? » demandai-je au procureur du roi, lorsque ma déposition fut écrite et signée.

« Cette malheureuse jeune personne est devenue folle, me dit-il en souriant tristement. Folle ! tout à fait folle. Voici ce qu'elle conte :

---

notes

1. contiguë : attenante à, proche de.

2. procureur du roi : magistrat, représentant de la justice.

3. déposition : déclaration faite sous la foi du serment.

« Elle était couchée, dit-elle, depuis quelques minutes, les rideaux tirés[1], lorsque la porte de sa chambre s'ouvrit, et
1025 quelqu'un entra. Alors madame Alphonse était dans la ruelle[2] du lit, la figure tournée vers la muraille. Elle ne fit pas un mouvement, persuadée que c'était son mari. Au bout d'un instant, le lit cria comme s'il était chargé d'un poids énorme. Elle eut grand'peur, mais n'osa pas tourner la tête.
1030 Cinq minutes, dix minutes peut-être… elle ne peut se rendre compte du temps, se passèrent de la sorte. Puis elle fit un mouvement involontaire, ou bien la personne qui était dans le lit en fit un, et elle sentit le contact de quelque chose de froid comme la glace, ce sont ses expressions. Elle s'en-
1035 fonça dans la ruelle, tremblant de tous ses membres. Peu après, la porte s'ouvrit une seconde fois, et quelqu'un entra, qui dit : "Bonsoir, ma petite femme." Bientôt après on tira les rideaux. Elle entendit un cri étouffé. La personne qui était dans le lit, à côté d'elle, se leva sur son séant[3] et parut
1040 étendre les bras en avant. Elle tourna la tête alors… et vit, dit-elle, son mari à genoux auprès du lit, la tête à la hauteur de l'oreiller, entre les bras d'une espèce de géant verdâtre qui l'étreignait avec force. Elle dit, et m'a répété vingt fois, pauvre femme !… elle dit qu'elle a reconnu… devinez-vous ?
1045 La Vénus de bronze, la statue de M. de Peyrehorade… Depuis qu'elle est dans le pays, tout le monde en rêve. Mais je reprends le récit de la malheureuse folle. À ce spectacle, elle perdit connaissance, et probablement depuis quelques instants elle avait perdu la raison. Elle ne peut en aucune
1050 façon dire combien de temps elle demeura évanouie.

notes

1. **rideaux tirés :** ce sont les rideaux du lit.

2. **ruelle :** espace laissé entre le lit et le mur. Cela signifie que Mme Alphonse est couchée sur le côté du lit qui donne sur la ruelle.

3. **se leva sur son séant :** passa de la position allongée à la position assise.

Revenue à elle, elle revit le fantôme, ou la statue, comme elle dit toujours, immobile, les jambes et le bas du corps dans le lit, le buste et les bras étendus en avant, et entre ses bras son mari, sans mouvement. Un coq chanta. Alors la statue sortit
1055 du lit, laissa tomber le cadavre et sortit. Madame Alphonse se pendit à la sonnette, et vous savez le reste. »

On amena l'Espagnol ; il était calme, et se défendit avec beaucoup de sang-froid et de présence d'esprit. Du reste, il ne nia pas le propos que j'avais entendu ; mais il l'expliquait,
1060 prétendant qu'il n'avait voulu dire autre chose, sinon que le lendemain, reposé qu'il serait, il aurait gagné une partie de paume à son vainqueur. Je me rappelle qu'il ajouta :

« Un Aragonais, lorsqu'il est outragé, n'attend pas au lendemain pour se venger. Si j'avais cru que M. Alphonse eût
1065 voulu m'insulter, je lui aurais sur-le-champ donné de mon couteau dans le ventre. »

On compara ses souliers avec les empreintes de pas dans le jardin ; ses souliers étaient beaucoup plus grands.

Enfin l'hôtelier chez qui cet homme était logé assura
1070 qu'il avait passé toute la nuit à frotter et à médicamenter un de ses mulets qui était malade.

D'ailleurs cet Aragonais était un homme bien famé[1], fort connu dans le pays, où il venait tous les ans pour son commerce. On le relâcha donc en lui faisant des excuses.

1075 J'oubliais la déposition d'un domestique qui le dernier avait vu M. Alphonse vivant. C'était au moment qu'il allait monter chez sa femme, et, appelant cet homme, il lui demanda d'un air d'inquiétude s'il savait où j'étais. Le domestique répondit qu'il ne m'avait point vu. Alors

notes

1. bien famé : de bonne réputation.

M. Alphonse fit un soupir et resta plus d'une minute sans parler, puis il dit : *Allons ! le diable l'aura emporté aussi !*

Je demandai à cet homme si M. Alphonse avait sa bague de diamants lorsqu'il lui parla. Le domestique hésita pour répondre ; enfin il dit qu'il ne le croyait pas, qu'il n'y avait fait au reste aucune attention. « S'il avait eu cette bague au doigt, ajouta-t-il en se reprenant, je l'aurais sans doute remarquée, car je croyais qu'il l'avait donnée à madame Alphonse. »

En questionnant cet homme je ressentis un peu de la terreur superstitieuse que la déposition de madame Alphonse avait répandue dans toute la maison. Le procureur du roi me regarda en souriant, et je me gardai bien d'insister.

Quelques heures après les funérailles de M. Alphonse, je me disposai à quitter Ille. La voiture de M. de Peyrehorade devait me conduire à Perpignan. Malgré son état de faiblesse, le pauvre vieillard voulut m'accompagner jusqu'à la porte de son jardin. Nous la traversâmes en silence, lui se traînant à peine, appuyé sur mon bras. Au moment de nous séparer, je jetai un dernier regard sur la Vénus. Je prévoyais bien que mon hôte, quoiqu'il ne partageât point les terreurs et les haines qu'elle inspirait à une partie de sa famille, voudrait se défaire d'un objet qui lui rappellerait sans cesse un malheur affreux. Mon intention était de l'engager à la placer dans un musée.

J'hésitais pour entrer en matière, quand M. de Peyrehorade tourna machinalement la tête du côté où il me voyait regarder fixement. Il aperçut la statue et aussitôt fondit en larmes. Je l'embrassai, et, sans oser lui dire un seul mot, je montai dans la voiture.

Depuis mon départ je n'ai point appris que quelque jour nouveau soit venu éclairer cette mystérieuse catastrophe.

M. de Peyrehorade mourut quelques mois après son fils. Par son testament il m'a légué ses manuscrits, que je publierai peut-être un jour. Je n'y ai point trouvé le mémoire relatif aux inscriptions de la Vénus.

P.-S. Mon ami M. de P. vient de m'écrire de Perpignan que la statue n'existe plus. Après la mort de son mari, le premier soin de madame de Peyrehorade fut de la faire fondre en cloche, et sous cette nouvelle forme elle sert à l'église d'Ille. Mais, ajoute M. de P., il semble qu'un mauvais sort poursuive ceux qui possèdent ce bronze. Depuis que cette cloche sonne à Ille, les vignes ont gelé deux fois.

**Vénus.
Musée national
des Termes de Rome.**

Au fil du texte

AVEZ-VOUS BIEN LU ?

1. Quelle est la première pensée du narrateur* qui a du mal à trouver le sommeil ?

a) Les autres s'amusent et il se sent exclu. ☐

b) Il trouve indigne qu'on livre une si belle jeune fille à un homme si grossier. ☐

c) Il n'aime pas les mariages. ☐

2. Quelle est la dernière personne à avoir vu Alphonse vivant ?

a) M. de Peyrehorade. ☐

b) Le narrateur. ☐

c) Un domestique. ☐

d) Une servante. ☐

3. À qui M. de Peyrehorade lègue-t-il le manuscrit relatif aux inscriptions de la Vénus ?

narrateur :
celui qui
raconte.

ÉTUDIER LE VOCABULAIRE ET LA GRAMMAIRE

4. Lignes 902-903 : « *la plus honnête fille du monde livrée au Minotaure !* ». Cherchez la signification du Minotaure et dites quelle image de la jeune mariée donne cette expression.

5. Lignes 962 à 970 : relevez les termes qui décrivent le visage et le corps d'Alphonse mort. À quel autre personnage ramènent-ils insensiblement le lecteur ?

ÉTUDIER LE DISCOURS

6. Quel est le sens naturellement privilégié par le narrateur, pendant la nuit, pour appréhender la réalité ?

7. Les bruits de la nuit : relevez tous les pronoms, adverbes, verbes qui traduisent les sentiments, les suppositions ou le jugement du narrateur pendant sa nuit d'insomnie.

8. Quel est le sens naturellement privilégié par le narrateur pour mener son enquête ?

9. L'enquête « policière » : relevez les formes verbales au conditionnel. En quoi la valeur de ce mode contribue-t-elle à caractériser cette fois encore la démarche du narrateur ?

10. Qui rapporte le récit de la jeune veuve ? à quel destinataire ?

11. Ligne 1021 « *Folle ! tout à fait folle.* » En tenant compte de sa réserve face au procureur (« *et je me gardai bien d'insister* », l. 1092), pensez-vous que le narrateur partage totalement l'avis du procureur ? et le lecteur ?

ÉTUDIER LA NOUVELLE FANTASTIQUE

12. Quels sont les détails relatés par le narrateur qui se voient confirmés par le récit de la jeune veuve ?

13. Indiquez ce qui permet d'innocenter l'Aragonais et relevez les indices qui auraient permis de croire à sa culpabilité. Cette interprétation était-elle satisfaisante ?

14. Relevez les indices qui tendent à faire de la statue la seule coupable du meurtre.

15. En quoi cette explication surnaturelle est-elle parfaitement cohérente et convaincante ?

16. Le lecteur peut-il véritablement choisir entre les deux explications ?

ÉTUDIER UN THÈME : LA STATUE

17. Relevez les expressions que le narrateur emploie au sujet de la statue.
a) Son regard sur la statue a-t-il changé ?
b) Quel conseil allait-il donner à M. de Peyrehorade avant de quitter Ille ?

18. Quelle est l'ultime transformation de la statue ?
a) Avait-elle déjà été évoquée ?
b) En quelles occasions ?

19. Quel adjectif qualifiait l'olivier près duquel avait été trouvée la statue ? Que nous dit la dernière phrase de la nouvelle ?

20. Le lecteur a-t-il l'impression que la nouvelle est réellement terminée ?

21. « *La Vénus d'Ille n'a jamais existé* » (Prosper Mérimée, lettre du 11 novembre 1847). Est-ce le sentiment du lecteur ?

ÉTUDIER LA FONCTION DE L'EXTRAIT

22. Le dénouement apporte-t-il une réponse à toutes les questions que le lecteur peut se poser ?

23. Comment le narrateur laisse-t-il planer l'ambiguïté jusqu'à la fin ?

Retour sur l'œuvre

QUATRE JOURNÉES QUI ONT COMPTÉ

1. Reliez les événements à la journée correspondante :

Première journée •

Deuxième journée •

Troisième journée •

Quatrième journée •

• La partie de jeu de paume entre Alphonse et l'Aragonais

• L'enquête du narrateur après la mort d'Alphonse

• Une discussion savante sur une curieuse inscription

• Des « polissons » jettent une pierre sur la statue de Vénus

PERSONNES ET PERSONNAGES

2. Complétez cette grille.

Horizontalement

I) Monsieur de Peyrehorade aime citer ce poète latin qui a écrit l'*Énéide*.

II) Célèbre sculpteur grec du Ve s. av. J.-C.

III) Prénom du jeune dandy de province.

IV) Nom de famille de la jeune veuve dont on ne connaîtra jamais le prénom.

V) Ce muletier n'aime pas perdre au jeu.

VI) Il reçoit la déposition de la jeune veuve.

Verticalement

1) Nom de famille de ce provincial qui choisit le vendredi pour marier son fils.

2) Parisien qui visite le Roussillon : il raconte l'histoire.

3) C'est la femme de Vulcain.

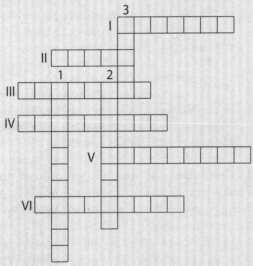

LA VÉNUS

3. Vérifiez que rien ne vous a échappé sur elle en complétant les phrases suivantes :

a) On a trouvé la statue de Vénus dans la terre près d'… ……… ………… .

b) Monsieur de Peyrehorade veut lui sacrifier ………
………………… .

c) La ……… , la fleur qui symbolise la beauté et la pureté, lui est consacrée.

d) Déesse de l'amour, elle est apparentée chez les Grecs à ………………………… .

e) Le jour qui lui est consacré est le ………………………… .

Dernières nouvelles en direct d'Ille

4. Un meurtre bien étrange.

La Gazette du Roussillon

« Voici les dernières informations que vient de nous communiquer notre correspondant sur place à Ille grâce à cette merveilleuse invention qu'est le sémaphore*. Ce matin, en effet, nous avons appris l'affreuse mort du jeune Alphonse de Peyrehorade la nuit même de ses noces.

Les circonstances du meurtre restent toujours bien mystérieuses aux dires du procureur du roi qui a pu recueillir la déposition de la jeune veuve. Celle-ci semble depuis cette horrible nuit avoir perdu la raison. »

---

sémaphore : système grâce auquel on peut communiquer par signaux optiques.

Des problèmes de transmission ont fait disparaître certains mots de l'article qu'a adressé le correspondant de _La Gazette du Roussillon_. À vous de les retrouver.

« Après avoir été escortée dans la chambre préparée pour les époux vers ...., madame Alphonse s'est couchée dans le lit nuptial dont les .... avaient été tirés. Quelques minutes plus tard quelqu'un, qu'elle croyait être son ...., est entré dans la chambre, mais madame Alphonse n'a pu le voir car elle était couchée sur le côté, dans la ...., le visage tourné vers le mur de la chambre. Après un certain temps, le lit s'est creusé comme sous l'effet d'un .... énorme. Un hôte de la maison a pu nous confirmer qu'il a bien entendu à ce moment de la nuit des pas lourds qui montaient .... Cet archéologue parisien en visite dans la région avait pensé qu'il s'agissait des pas du jeune marié, monsieur ....

Très apeurée, celle qui était encore Mlle de Puygarrig la

veille n'a pas osé se retourner. Peu après, toujours selon elle, la porte s'est ouverte une seconde fois et quelqu'un est entré en disant : "Bonsoir, ma petite ...."
On a tiré les rideaux du lit, la personne qui se serait trouvée dans le lit se serait levée sur son ....
Alors, tournant la tête, la jeune épouse a vu un monstre verdâtre puis a dit reconnaître la statue de .... en bronze découverte par le .... du marié. C'est elle qui aurait tué son mari et serait repartie à l'heure où le .... chanta. Toujours d'après notre témoin parisien, il pouvait être .... du matin et il a de nouveau entendu les mêmes pas .... qui descendaient l'escalier. »

QUESTIONNAIRE DE SYNTHÈSE

5. Relisez la nouvelle et répondez par vrai ou faux. Attention aux pièges, et... bon courage !

	V	F
a) Le Canigou est un fleuve qui traverse les Pyrénées.	☐	☐
b) Le narrateur est un Parisien spécialiste d'antiquités.	☐	☐
c) Le narrateur n'a pas de rôle dans l'histoire.	☐	☐
d) La statue trouvée par M. de Peyrehorade est appelée « *idole* » par les paysans d'Ille.	☐	☐
e) Elle a été trouvée au pied d'un chêne gelé.	☐	☐
f) La statue est en cuivre.	☐	☐
g) Alphonse a vingt-six ans à la veille de son mariage.	☐	☐

	V	F
h) Le mariage d'Alphonse avec Mlle de Puygarrig n'est pas un mariage de convenance.	☐	☐
i) Le mariage a lieu un samedi.	☐	☐
j) Vénus est la déesse romaine de la vengeance.	☐	☐
k) Myron est un grand sculpteur grec du Ve siècle av. J.-C.	☐	☐
l) Mlle de Puygarrig est comparée à la statue de Vénus par M. de Peyrehorade.	☐	☐
m) Mlle de Puygarrig a été choisie pour sa beauté et non pour sa dot.	☐	☐
n) « Cave » : cet impératif signifie « prends garde » en latin.	☐	☐
o) La bague qu'Alphonse destine à sa femme porte une inscription : « Jamais sans toi ».	☐	☐
p) L'Aragonais est un muletier espagnol.	☐	☐
q) Il doit être six heures du matin lorsque le coq chante.	☐	☐
r) C'est au narrateur que Mme Alphonse rapporte les événements qu'elle a vécus la nuit du meurtre de son mari.	☐	☐
s) C'est la dévote Mme de Peyrehorade qui décide de faire fondre la statue en cloche pour l'église de sa ville.	☐	☐
t) Mérimée a écrit cette nouvelle dans la première moitié du XIXe siècle.	☐	☐

6. « Le récit fantastique est un récit qui se caractérise par : .... » Complétez la définition en vous appuyant sur votre lecture de *La Vénus d'Ille* et du dossier Bibliocollège (pp. 103-106).

Dossier
Bibliocollège

Schéma narratif

LE SCHÉMA NARRATIF DE LA NOUVELLE

Ce schéma n'est classique que si l'on adopte l'*interprétation surnaturelle* et qu'on accepte l'absence d'une véritable résolution finale. Le lecteur est obligé d'y intégrer la dimension fantastique pour que le schéma fonctionne de manière cohérente.

Situation initiale	Une statue de bronze a été découverte à Ille. Les hôtes du narrateur s'apprêtent à marier leur fils (M. et Mme de Peyrehorade).
Élément perturbateur	Vendredi matin, 10 heures : au cours d'une partie de jeu de paume, Alphonse, le futur marié, passe la bague au doigt de la statue et l'oublie.
Péripéties	Vendredi, fin de matinée : mariage civil et religieux d'Alphonse et de Mlle de Puygarrig. Vendredi soir : *La statue ne « rend » pas la bague.* Samedi matin : Alphonse est retrouvé assassiné dans la chambre nuptiale.
Situation finale	Après les funérailles d'Alphonse, le narrateur quitte Ille. Quelques mois plus tard, M. de Peyrehorade meurt. Son épouse fait fondre la statue en cloche pour l'église. *L'énigme de la mort d'Alphonse n'est pas résolue.*

En réalité, tout au long de la nouvelle s'impose au lecteur la double lecture : entre interprétation naturelle et interprétation surnaturelle.

LA VÉNUS D'ILLE : DEUX LECTURES POSSIBLES

Complétez le tableau ci-dessous :

Les faits tels qu'ils sont relatés	Explication rationnelle	Explication irrationnelle
Jean Coll a la jambe cassée en déterrant la Vénus.		
La pierre lancée par les apprentis retourne sur eux.		
La statue porte une trace blanche sur la main.		
Alphonse passe la bague au doigt de la Vénus.		
Alphonse est victorieux au jeu de paume.		
Le narrateur entend des pas, la nuit, dans l'escalier.		
La bague est sur le tapis.		
Les vignes ont gelé deux fois.		

Il était une fois Prosper Mérimée

Prosper Mérimée est un homme du XIXe siècle bien difficile à classer une fois pour toutes dans une catégorie : à la fois fantaisiste et sérieux, romantique et classique, homme de lettres et haut fonctionnaire de l'administration, libéral et conservateur… Qui se cache donc derrière ce personnage si complexe ?

Dates clés

1803 : naissance de Mérimée à Paris.

1822 : rencontre de Stendhal.

UN JEUNE HOMME PRÉCOCE ET CULTIVÉ

Prosper Mérimée naît à Paris le 28 septembre 1803, dans une famille bourgeoise d'érudits et d'artistes où il reçoit une solide formation classique. Il grandit au milieu des livres et des peintures entre un père professeur de dessin et une mère artiste-peintre. Son arrière-grand-mère est Marie Leprince de Beaumont, auteur de contes dont le plus célèbre, *La Belle et la Bête*, enchante son enfance.

Après une brillante scolarité au lycée, il étudie le droit, mais son goût et sa curiosité le poussent davantage vers l'étude des langues (latin, grec, anglais, espagnol), des littératures étrangères, de l'histoire, de l'archéologie et du dessin.

Comme tous les jeunes gens les plus doués de sa génération, Mérimée pense que la seule carrière qui lui soit ouverte est celle des lettres. Il se lance alors dans une vie mondaine, fréquente les salons littéraires où il fait la connaissance de Musset, Hugo, et surtout de Stendhal, de vingt ans son aîné, qui devient son meilleur ami.

Un écrivain mondain et sceptique

Écrivain précoce et prolifique (à vingt-deux ans, il a déjà écrit trois pièces de théâtre), Mérimée se fait remarquer par son scepticisme, sa désinvolture, son classicisme affiché qui en font un dandy bien éloigné en apparence des effusions romantiques de sa génération. Il a fait graver sur sa bague la devise : « Souviens-toi de te méfier. »

Ainsi, son goût pour les pseudonymes et les mystifications (qu'il tient peut-être de Stendhal) se manifeste-t-il lors de la publication de ses premières œuvres. Il les présente comme la traduction de pièces écrites par une comédienne espagnole. Cet ouvrage, le *Théâtre de Clara Gazul*, comporte même, pour mieux tromper les érudits, une notice biographique sur Clara Gazul signée Joseph L'Estrange et un portrait de la jeune femme dans lequel on peut reconnaître… le propre visage de Prosper Mérimée ! Goût pour la facétie ou volonté déjà affirmée de jouer avec la réalité et ses apparences ?

Mérimée a vingt-sept ans quand il publie en 1829 son premier (et unique) roman, *Chronique du règne de Charles IX*, roman de cape et d'épée dans lequel il exprime ses convictions politiques. Mais ce sont surtout ses nouvelles, parues la même année et d'une grande diversité d'inspiration, qui lui assurent gloire et célébrité. *Mateo Falcone*, *Tamango*, *La Vision de Charles XI* manifestent sa maîtrise du genre, où il excelle grâce à un style remarquable de concision.

Dates clés

1825 :
Théâtre de Clara Gazul.

1829 :
les premières nouvelles, *Mosaïques.*

HAUT FONCTIONNAIRE DE L'ÉTAT ET HOMME DE LETTRES

Parallèlement à ses succès littéraires, Mérimée poursuit une brillante et ambitieuse carrière administrative. Favorable au régime de Juillet lors des événements de 1830 (libéral convaincu, il a toujours marqué son opposition à la Restauration), il se voit récompensé par le nouveau pouvoir qui le nomme à différents postes de la haute administration. Son ascension est rapide. En 1834, il devient inspecteur général des Monuments historiques. Cette fonction l'amène à effectuer à travers toute la France des voyages « professionnels » qui nourrissent son imagination. Dans de longs rapports, Mérimée décrit l'état des richesses artistiques de la France. Il contribue à faire restaurer de nombreux monuments du Moyen Âge, aidé dans sa tâche par un jeune architecte, Viollet-le-Duc. Ainsi, si le cloître de l'abbaye de Moissac, merveille de l'art roman, n'est pas traversé aujourd'hui par une voie de chemin de fer, c'est grâce à la judicieuse intervention de Prosper Mérimée !

En 1835, Mérimée publie ses *Notes d'un voyage dans le midi de la France* qui lui inspirent *La Vénus d'Ille*, parue deux ans plus tard.

Grand voyageur, il visite aussi, entre 1830 et 1852, l'Italie, la Grèce, l'Espagne, le Proche-Orient. C'est alors qu'il compose ses écrits les plus célèbres : *Colomba* en 1840, *Carmen* en 1845.

Toujours avide de connaissances, il apprend le russe et fait connaître, grâce à ses traductions et études critiques, la littérature russe au public français (Pouchkine, Tourgueniev, Gogol).

Dates clés

1834 :
Mérimée est inspecteur général des Monuments historiques.

1837 :
publication de *La Vénus d'Ille.*

1844 :
élection à l'Académie française.

1851 :
coup d'État de Napoléon III.

1853 :
Mérimée est nommé sénateur.

En 1844, comblé d'honneurs,
Prosper Mérimée est reçu
à l'Académie française.

LES HONNEURS ET LA GLOIRE : LE PROTÉGÉ DE L'IMPÉRATRICE

Prosper Mérimée n'est pas un révolutionnaire :
il se rallie sans état d'âme au coup d'État de Napoléon III
en 1851. Favorisé par l'impératrice des Français, Eugénie
de Montijo, il est nommé dès 1853 sénateur et devient
un familier de la cour impériale, qu'il suit aux Tuileries, à
Fontainebleau, à Biarritz ou à Compiègne. C'est d'ailleurs
à Compiègne, où la cour s'ennuie un jour de pluie, qu'il
a l'idée de composer un texte qui réunira le plus grand
nombre possible de pièges orthographiques, la fameuse
dictée de Mérimée... À titre indicatif, l'empereur fait
soixante-quinze fautes et, bien qu'espagnole,
l'impératrice ne fait « que » soixante-deux fautes…
Mérimée continue à écrire de trop rares nouvelles,
Lokis en 1869, *Djoûmane* en 1870, tout en se consacrant
par ailleurs à de nombreuses études historiques et
archéologiques.
Malade et démoralisé après la capitulation de
Napoléon III à Sedan, il quitte Paris pour Cannes,
où il meurt peu après, le 23 septembre 1870.
Les partisans de la Commune (23 mai 1871), se
souvenant du rôle joué par Mérimée pendant le
second Empire, incendient la maison habitée par
l'écrivain, rue de Lille, à Paris, détruisant ainsi tous ses
papiers et ses livres quelques mois après sa mort.

Caricature de Mérimée par lui-même.

Date clé

1870 :
fin du second
Empire.
Mort de
Mérimée
à Cannes.

LA DICTÉE DE MÉRIMÉE

Voici le texte que le facétieux Mérimée s'amusa
à composer pour distraire la cour impériale, un jour
qu'il pleuvait à Compiègne...

Pour parler sans ambiguïté, ce dîner à Sainte-Adresse, près du Havre, malgré les effluves embaumés de la mer, malgré les vins de très bons crus, les cuisseaux de veau et les cuissots de chevreuil prodigués par l'amphitryon, fut un vrai guêpier. Quelles que soient, quelque exiguës qu'aient pu paraître, à côté de la somme due, les arrhes qu'étaient censés avoir données à maint et maint fusilier subtil la douairière ainsi que le marguillier, bien que lui ou elle soit censée les avoir refusées et s'en soit repentie, va-t'en les réclamer pour telle ou telle bru jolie par qui tu les diras redemandées, quoiqu'il ne siée pas de dire qu'elle se les est laissé arracher par l'adresse desdits fusiliers et qu'on les aurait suppléées dans toute autre circonstance ou pour des motifs de toutes sortes. Il était infâme d'en vouloir pour cela à ces fusiliers jumeaux et mal bâtis et de leur infliger une raclée, alors qu'ils ne songeaient qu'à prendre des rafraîchissements avec leur coreligionnaire. Quoi qu'il en soit, c'est bien à tort que la douairière, par un contresens exorbitant, s'est laissé entraîner à prendre un râteau et qu'elle s'est crue obligée de frapper l'exigeant marguillier sur son omoplate vieillie. Deux alvéoles furent brisés, une dysenterie se déclara, suivie d'une phtisie. « Par saint Martin, quelle hémorragie ! » s'écria ce bélître. À cet événement, saisissant son goupillon, ridicule excédent de bagage, il la poursuivit dans l'église tout entière.

La France du XIXᵉ siècle : une époque contrastée

LE TEMPS DE MÉRIMÉE

• D'un Napoléon à l'autre

Mérimée naît sous le Consulat en 1803. L'année suivante Napoléon Bonaparte devient empereur.

Du vivant de Mérimée six gouvernements se succèdent :
– le Consulat (1799-1804) ;
– le premier Empire (1804-1815) ;
– la Restauration (1815-1830) ;
– la monarchie de Juillet (1830-1848) ;
– la IIᵉ République (1848-1852) ;
– le second Empire (1852-1870).

Ainsi, Mérimée meurt en même temps que disparaît le second Empire, vingt jours après la capitulation à Sedan de Napoléon III, qu'il soutient et défend jusqu'à la fin. L'action de la nouvelle *La Vénus d'Ille*, publiée en 1837, se déroule durant la monarchie de Juillet, plus précisément en 1834.

• La monarchie de Juillet : une monarchie bourgeoise

Louis-Philippe, porté au pouvoir par la révolution de 1830, se veut un « roi citoyen ». Vêtu volontairement comme les bourgeois, il promène, appuyé sur son parapluie noir, sa silhouette replète et satisfaite dans les jardins des Tuileries, symbolisant la quiétude retrouvée. La monarchie de Juillet favorise l'enrichissement de la bourgeoisie d'affaires, qui bénéficie du progrès

> **Date clé**
>
> **1830 :** début de la monarchie de Juillet. Louis-Philippe est au pouvoir.

La France du XIXᵉ siècle : une époque contrastée

technique et du développement des banques. Ainsi en 1837 est inaugurée la ligne de chemin de fer entre Paris et Saint-Germain.

Mais les différences sociales s'accentuent entre la bourgeoisie et les ouvriers ou les paysans.

Il se développe alors un climat insurrectionnel.

C'est pourtant dans le cadre tranquille d'une ville provinciale que prend place l'intrigue de *La Vénus d'Ille*, à une époque où la charte* constitutionnelle, instaurant la liberté de culte et la religion catholique comme religion d'État, vient d'être réactualisée (1830). Au cours de ses tournées d'inspecteur des Monuments historiques, Mérimée découvre, non sans une certaine ironie, cette France profonde qu'il évoque dans ses ouvrages.

Vocabulaire

charte : constitution politique.

conservateur : défenseur de l'ordre social établi.

libéral : favorable aux libertés individuelles dans le domaine politique.

LA VIE LITTÉRAIRE

• La presse : un moyen de diffusion incomparable

Les lois de Guizot en 1833, en faveur de l'enseignement primaire, permettent d'élargir le nombre de lecteurs grâce à une meilleure alphabétisation. Les livres et les journaux se multiplient. Les débats d'idées politiques ou littéraires se poursuivent, opposant conservateurs* et libéraux*.

Les progrès techniques, le recours à la publicité et l'engouement du public pour les feuilletons accélèrent le développement de la presse. En 1860, soixante quotidiens sont diffusés à Paris.

C'est ainsi que les œuvres littéraires paraissent d'abord dans les journaux et les revues : *La Vénus d'Ille* est publiée pour la première fois en 1837 dans la *Revue des Deux Mondes*.

La France du XIXᵉ siècle : une époque contrastée

• Les salons : un passage obligé

La fréquentation des salons apparaît comme l'autre moyen d'échanger des idées et de faire connaître des œuvres. Artistes, écrivains, dandys*, tous s'y retrouvent pour entendre lire des œuvres avant leur publication. Certains salons sont célèbres, comme ceux de Mme Récamier, de Nodier ou de Leconte de Lisle. Ces maisons reçoivent régulièrement un jour précis de la semaine. Chacune a « son jour » ou « ses jours ». Mérimée, qui veut faire une carrière littéraire, participe au Cénacle, cercle de littérateurs et d'artistes réuni, vers 1828, autour de Victor Hugo et d'Alfred de Vigny pour lire des œuvres, confronter théories et études critiques. Proche des romantiques, il fréquente par ailleurs de nombreux autres salons.

Vocabulaire

dandy :
type d'élégant du XIXᵉ siècle très soucieux de sa mise et de ses manières.

LE GOÛT DES MONUMENTS ET DES ŒUVRES D'ART DU XIXᵉ SIÈCLE

• Un héritage romantique

Lorsque commence le XIXᵉ siècle, les Français viennent de vivre une période importante de leur histoire : la Révolution. La génération romantique garde de cette époque le goût de la liberté, des grands idéaux, et tout simplement de la république. L'art est alors marqué par le goût du beau à l'antique (rappelons-nous les œuvres du peintre David). La Grèce et Rome sont à la mode. Des fouilles archéologiques permettent de découvrir, enfouies sous les laves du Vésuve, les villes romaines d'Herculanum et de Pompéi.

Les artistes romantiques, nostalgiques du passé et en quête d'idéal, plongent avec délice dans cette image contrastée de mondes révolus. Des écrivains comme

Chateaubriand, des peintres disciples d'Hubert Robert expriment dans leurs œuvres la poésie des ruines, lieux fascinants chargés d'histoire, où l'homme peut méditer sur le temps qui passe et les croyances d'antan.

• La défense du patrimoine

L'intérêt des romantiques pour l'histoire et le gothique en particulier favorise aussi le développement de la conservation des œuvres d'art et des monuments historiques. La politique n'est d'ailleurs pas étrangère à cet engouement. Les conquêtes napoléoniennes en Égypte et en Italie ont ouvert les Français aux cultures antiques. Des équipes de savants (comme Champollion en Égypte), des amateurs d'art accompagnent les expéditions militaires, et les musées français s'enrichissent de chefs-d'œuvre parfois pillés ou facilement acquis…

En France, Mérimée, avec d'autres savants, perçoit bien, par-delà le charme sauvage des vieilles ruines où vont paître les moutons, la valeur de certains monuments en péril qu'il faut absolument protéger. Les premières restaurations commencent en 1839 par la basilique de Vézelay et se poursuivent sous son impulsion car – ne l'oublions pas – Mérimée est devenu en 1834 inspecteur général des Monuments historiques. L'archéologie prend un nouvel essor : les fouilles ne se donnent plus pour seul but de mettre au jour des curiosités esthétiques, elles contribuent aussi à mieux comprendre le passé des hommes.

Dans chaque province se créent des cercles de savants « antiquaires » que Mérimée raille gentiment en la personne de M. de Peyrehorade dans *La Vénus d'Ille*…

La Vénus d'Ille, une nouvelle fantastique

LA NOUVELLE AU TEMPS DE MÉRIMÉE

• Un récit bref

La nouvelle est un récit bref qui, à l'origine (c'est-à-dire au XVe siècle), rapportait des événements récents et dignes de retenir l'attention.

Le XIXe siècle voit le grand retour de la nouvelle, en particulier grâce au développement de la presse : journaux et revues publient et diffusent largement ces récits courts et simples qui peuvent être lus d'une traite. Nombreux sont les écrivains qui s'illustrent dans ce genre : Nodier, Balzac, Stendhal, Maupassant et bien sûr Mérimée.

• Les caractéristiques de la nouvelle

Un déroulement rapide de l'intrigue qui privilégie l'action, peu de personnages, des descriptions et des portraits réduits au strict nécessaire, souvent un seul point de vue narratif, une conclusion (la « chute ») qui se veut frappante, un style concis : telles sont les caractéristiques de la nouvelle qui tendent toutes à créer le même effet d'intensité et de resserrement.

« *Toutes ses idées , comme des flèches obéissantes, volent au même but* » (Baudelaire).

LA VÉNUS D'ILLE : UN RÉCIT FANTASTIQUE

• Un récit réaliste

La Vénus d'Ille apparaît d'abord comme un récit bien réel, ancré dans une époque définie (la monarchie bourgeoise de Louis-Philippe), des lieux précis et rassurants (la petite ville d'Ille, non loin de Prades), avec des personnages qui sont de pittoresques provinciaux (la famille Peyrehorade), et un narrateur qui ressemble fort à M. Prosper Mérimée...

• Des faits inexplicables

Or, c'est dans ce cadre réaliste que surgissent des faits inexplicables centrés autour d'une statue de Vénus au regard inquiétant. Dès lors le récit bascule dans le mystère, le surnaturel. Tout l'art de l'écrivain consiste à rendre crédible l'incroyable par des procédés qui renforcent l'illusion du vrai. *« La Vénus d'Ille est le chef-d'œuvre de Mérimée, parce que c'est là qu'il a réussi à donner le maximum de vraisemblance au maximum de surnaturel »* (Valéry Larbaud, Préface de *Carmen*, 1927).

• L'hésitation du lecteur

Vocabulaire

effet de réel : moyens mis en œuvre par l'auteur pour « faire vrai ».

Face à cet « effet de réel* » et à cette intrusion du surnaturel, le lecteur hésite entre une explication rationnelle et une explication irrationnelle. Ainsi, par exemple, le soir de son mariage, Alphonse est-il complètement ivre ou bien terrorisé par le geste de la Vénus ?

Cette hésitation dans laquelle la nouvelle installe le lecteur constitue l'essence même du fantastique. Dans le cas de *La Vénus d'Ille*, l'incertitude demeure et se prolonge au-delà du dénouement.

• L'ambiguïté de l'énoncé et la double lecture

L'incertitude se voit renforcée, chez Mérimée, par l'ambiguïté de l'énoncé même qui donne à entendre au lecteur attentif un sens toujours double. « *Il y a deux sens* » : tel est l'avertissement de l'auteur qui se dissimule sous les paroles du narrateur à propos de l'inscription « *Cave amantem* ». Tout comme le réel et le surnaturel, dans la nouvelle fantastique, le sens figuré et le sens littéral des mots coexistent. « *Cette diable de Vénus !* » dit Alphonse le soir de sa mort : derrière la banale exclamation se cache une autre figure beaucoup plus inquiétante... La double lecture s'impose au sein d'une réalité marquée, par ailleurs, par la dualité.

• La dualité

La relecture, en effet, fait apparaître la permanence du **thème du double** dans *La Vénus d'Ille*. Le traitement des personnages, des situations, l'évocation de sentiments souvent ambivalents, de couples d'objets signalent avec une curieuse insistance la présence du **chiffre 2** dans le récit : « *deux Vénus* », deux mariages, attirance et répulsion suscitées par la Vénus chez le narrateur, deux bagues, deux inscriptions sur la statue... Amusez-vous à repérer d'autres occurrences du chiffre 2 dans le texte !

• La figure démoniaque

Quant à la figure de Vénus, sa nature double et sa représentation contradictoire participent de tous les aspects du fantastique. Entre divine séduction et diabolique méchanceté, elle possède la beauté du diable. Le lecteur, comme le narrateur, peut-il rester indifférent à la croyance en cette statue qui s'animerait la nuit, moment propice aux êtres démoniaques et à leurs maléfices ? Nourri de nos peurs inconscientes, le thème de la statue – mannequin, automate, poupée – qui s'anime et acquiert une redoutable indépendance occupe, par conséquent, une place privilégiée dans la littérature fantastique.

Objet d'art surgi du passé pour les uns, figure démoniaque surgie de mondes infernaux pour les autres, la Vénus trouble, fascine, et laisse chez le lecteur l'image d'une « *inquiétante étrangeté* » (Freud).

**La Vénus d'Arles.
Musée du Louvre.**

Aphrodite grecque, Vénus romaine

Vénus est avant tout la déesse de l'amour, de la beauté et du plaisir. Dès l'Antiquité, les auteurs ont célébré les multiples aspects de son charme (*venustas* en latin signifie « vénusté » ou « charme allié à la beauté ») : ils glorifient ses yeux de lumière, son sourire aimable et « *naturel à sa bouche* », son regard tendre et voluptueux, ses bras et ses pieds à la blancheur d'argent, sa taille élancée, sa gorge splendide et son sein désirable…
Ses attraits la rendent irrésistible et c'est d'elle que viennent tous les dons qui attirent et subjuguent. Elle a trompé de nombreuses fois Vulcain, le mari difforme que lui avait destiné Jupiter. Elle a aimé plusieurs dieux (Mars, Bacchus…) mais aussi divers mortels, en particulier Adonis, dont elle n'a pu empêcher la mort, et Anchise, avec lequel elle a engendré Énée.

C'EST D'ABORD UNE DÉESSE BÉNÉFIQUE

Vénus est la protectrice du mariage et de la fécondité. Elle « *aime les fiancés* », « *prépare les hymens* », « *veille sur les chambres nuptiales* » et « *préside aux naissances* ». En ce sens, les épouses légitimes lui rendent un culte. Les courtisanes, les prostituées, qu'on appelle communément « Vénus des carrefours », lui portent aussi des offrandes pour obtenir sa bienveillante protection. Elles s'adressent à la déesse qui préside aux pulsions de l'instinct sexuel, celle qui est à l'origine de toutes les séductions, de toutes les voluptés…
C'est peut-être en raison de cette apparente contradiction que certains auteurs antiques ont

distingué deux Aphrodite-Vénus. Ainsi Platon oppose l'Aphrodite-Vénus ouranienne (céleste), divin symbole de l'Amour chaste et pur, à l'Aphrodite-Vénus pandémienne (populaire), protectrice des amours physiques et du plaisir sexuel (n'oublions pas que l'adjectif « vénérien », synonyme de « sexuel », est formé sur le génitif de Vénus qui est, en latin, *Veneris*…).

MAIS VÉNUS PEUT ÊTRE MALÉFIQUE

Elle peut se montrer cruelle, jalouse, tyrannique. À Rome, elle possède ce double visage. Il suffit de regarder les mots de la même origine étymologique que Vénus. D'un côté la déesse incarne la complaisance (*cf.* le mot latin *venia* qui signifie « bienveillance, faveur, grâce » : elle est alors « *vénérable* », « *digne de vénération* »). Mais, par ailleurs, c'est une divinité douée d'un redoutable pouvoir magique, capable de subjuguer, de susciter le trouble et le désordre. Elle représente le désir, l'énergie féroce que nul ne peut contrôler (*cf.* le mot latin *venenum*, qui à l'origine signifie « philtre d'amour » et qui a donné « venin, venimeux, vénéneux » en français !). Dans tous les cas, on lui reconnaît un pouvoir universel – qui peut être fatal – qu'elle exerce aussi bien sur l'Olympe que sur les simples mortels.

La Vénus de Milo
(fin du IIe siècle
av. J.-C.).
Musée du Louvre.

Groupement de textes :

La statue animée

Vénus de Cnide.
Copie romaine de la statue
de Praxitèle.
Rome, musée du Vatican.

L e thème de la statue animée inquiète ou fascine. Qui donc possède le pouvoir d'insuffler ainsi la vie à la matière inanimée, si ce n'est une puissance divine dont on peut redouter la malignité ou au contraire admirer la bienveillance ?

Selon la tradition, c'est l'ingénieux Dédale qui invente la statue, représentation de l'image des dieux ou des hommes. Par son extrême habileté, il possède le pouvoir de rendre quasiment vivantes ses œuvres. Dans l'un de ses dialogues, le *Ménon* (382 av. J.-C.), le philosophe Platon évoque les fameuses statues de Dédale qui expriment une incroyable illusion de vie : « *Si on ne les attache pas, elles s'échappent et prennent la fuite.* »

Ces statues qui s'animent symbolisent le rêve sans cesse caressé par l'artiste-artisan : égaler par sa puissance créatrice les dieux eux-mêmes.

UNE SOURCE POSSIBLE DE MÉRIMÉE : LE RÉCIT D'HERMANN CORNER

Mérimée a sans doute lu ce récit d'Hermann Corner, écrit en latin au XIe siècle, qui rapporte une histoire reprise ensuite par de nombreux auteurs jusqu'au XIXe siècle. Dans ce cas, il semble bien que ce soit la déesse Vénus elle-même qui s'incarne dans la statue. Il ne s'agit plus alors d'une simple sculpture, ni même d'un simple double de la divinité. La statue est véritablement la déesse… Et Vénus n'est pas particulièrement une divinité bienveillante pour le jeune héros de l'histoire.

À Rome, il y avait un jeune homme très riche et fort connu, du nom de Rothgerus... Il venait de prendre femme et banquetait souvent avec ses compagnons. Un jour, après le repas, il sortit pour se promener, et passant sur une place, se mit à jouer avec eux à la paume ; pour être plus à l'aise, il retira de son doigt son anneau de mariage et le passa au doigt tendu d'une statue de Vénus qui se tenait tout près de là. La partie terminée, le jeune homme, qui voulait récupérer son anneau, trouva le doigt de ladite statue maintenant recourbé jusqu'à la paume. Rothgerus fit donc beaucoup d'efforts, mais ne put ni retirer l'anneau ni briser le doigt. Il partit sans rien dire à ses compagnons, mais revint en pleine nuit avec un esclave ; il trouva le doigt de la statue tendu comme auparavant, mais pas l'anneau. Cachant cette disparition, il retourna auprès de son épouse, et quand il fut au lit, il sentit entre sa femme et lui quelque chose de léger et de dense, de palpable et d'audible, mais de tout à fait invisible. Et comme il voulait parler à sa femme, le fantôme s'écria : « Couche avec moi puisque tu m'as épousée aujourd'hui. Je suis Vénus, au doigt de laquelle tu as passé ton anneau, et je ne te le rendrai pas... »

Hermann Corner, D. R.

Heureusement pour lui, le jeune Romain sera secouru par un magicien qui l'aidera, par différents stratagèmes, à échapper à l'emprise de Vénus.

PYGMALION ET GALATÉE

Le récit qui suit est inspiré des *Métamorphoses* d'Ovide (43 av. J.-C.-18 apr. J.-C.). Pour les artistes de l'Antiquité, le but suprême de l'art consiste à reproduire la réalité le plus fidèlement possible, à donner l'illusion de la vie. Mais le jeune sculpteur Pygmalion, qui a façonné une statue d'ivoire représentant son idéal féminin, est pris à son propre piège...

Fort heureusement pour lui, Vénus n'exerce pas toujours une puissance maléfique. Si on sait l'adorer comme il convient et la prier avec ardeur, la déesse peut, comme tous les autres dieux, exaucer les vœux les plus fous et elle seule a le pouvoir de donner vie à une statue qui ne saurait rester de marbre ou d'ivoire...

À Chypre, un jeune sculpteur de talent, nommé Pygmalion, avait décidé de ne jamais se marier. Son art lui suffisait, se disait-il. Soit qu'il ne pût aussi facilement chasser de son esprit que de sa vie l'objet de sa désapprobation, soit qu'il eût décidé, en modelant une femme parfaite, de démontrer aux hommes les déficiences d'une espèce qu'il leur fallait bien supporter, toujours est-il que la statue à laquelle il consacrait tout son génie représentait une femme.

Avec un soin infini, il passa et repassa longtemps son ciseau sur la statue qui devint enfin une œuvre d'art exquise. Mais il n'était pas satisfait. Jour après jour, il y travaillait et sous ses doigts habiles elle devenait de plus en plus belle. Nulle femme n'aurait pu rivaliser avec elle. Quand le jour vint où il n'y eut plus rien à ajouter à ses imperfections, son créateur connut un sort étrange ; il s'éprit profondément, passionnément de la forme née de ses doigts. Il convient de préciser que la statue ne ressemblait pas à une statue ; personne ne l'aurait crue d'ivoire ou de marbre, mais bien de chair humaine figée pour un instant seulement dans l'immobilité. Car tel était le merveilleux pouvoir de ce jeune homme dédaigneux ; il avait atteint l'accomplissement suprême de l'art de dissimuler l'art.

Mais dès ce moment, le sexe qu'il avait tant méprisé prit sa revanche. Nul amoureux transi ne connut jamais une peine aussi désespérée que Pygmalion. Il posait ses lèvres sur ces lèvres attirantes ; elles ne pouvaient lui rendre son baiser. Il caressait les mains, le visage ; ils restaient insensibles. Il la prenait dans ses bras, et elle n'était toujours qu'une forme passive et froide. Pendant quelque temps, il tenta de feindre, comme font les enfants avec leurs jouets. Il l'habillait de vêtements somptueux, faisant chatoyer une couleur après l'autre, et il essayait de s'imaginer qu'elle en était heureuse. Il la comblait de ces présents qui plaisent tant aux vraies jeunes filles, des petits oiseaux et des fleurs et ces brillantes larmes d'ambre que pleurent les sœurs de Phaëton, et ensuite, il s'imaginait qu'elle le remerciait avec effusion. Le soir, il l'étendait sur un lit et l'enveloppait de chaudes et moelleuses couvertures, comme font les petites filles pour leurs poupées. Mais il n'était plus un enfant ; il ne put longtemps continuer ce jeu et bientôt il y renonça. Il aimait un objet sans vie et il était désespérément misérable.

Cette passion singulière ne demeura pas longtemps ignorée de la déesse de l'amour. Vénus s'intéressa à ce sentiment qu'elle ne rencontra pas souvent, à cet amant d'une espèce nouvelle, et elle décida d'aider un jeune homme qui pouvait être à la fois amoureux et cependant original.

La fête de Vénus, comme il se doit, était tout particulièrement célébrée à Chypre, l'île qui avait accueilli la déesse après qu'elle fut née de l'écume. On lui offrait en grand nombre des génisses blanches comme neige et aux cornes dorées ; l'odeur divine de l'encens s'élevait de ses nombreux autels pour se répandre dans toute l'île ; des foules se pressaient dans ses temples ; nul amoureux éconduit qui ne fût là, suppliant que l'objet de son amour se laissât enfin attendrir. Et là aussi naturellement, se trouvait Pygmalion. N'osant en demander davantage, il priait la déesse de lui faire rencontrer une jeune fille pareille à sa statue. Mais Vénus savait ce qu'il souhaitait en réalité, et pour lui montrer qu'elle accueillait favorablement sa prière, elle permit que par trois fois s'élevât dans l'air, lumineuse et brûlante, la flamme de l'autel devant lequel il se trouvait.

Rendu pensif par ce signe de bon augure, Pygmalion revint à sa maison et à son amour. Cette forme qu'il avait façonnée et qui avait pris tout son cœur. Elle était là, sur son socle, plus belle que jamais. Il la caressa, puis recula. Était-ce une illusion, ou avait-il vraiment senti une tiédeur sous ses mains ? Il posa un long baiser sur ses lèvres, et elles s'adoucirent sous les siennes. Il toucha les bras, les épaules ; comme une cire qui fond au soleil, leur dureté disparut. Il lui prit le poignet : le pouls y battait. « Vénus », se dit-il. C'était l'œuvre de la déesse. Avec une gratitude et une joie débordante, il prit son amour entre ses bras. Rougissant, elle sourit.

Édith Hamilton, La Mythologie, Marabout-Université, 1979.

La statue animée

Pygmalion et la statue.
Groupe sculpté
par Étienne Falconet
(1716-1791).
Musée du Louvre.

Comparez le texte que vous venez de lire avec cette autre version de la légende de Pygmalion, beaucoup plus en rapport avec la conception misogyne des anciens Grecs…

Pygmalion avait taillé dans le marbre l'image de Vénus. Depuis des nuits et des nuits, il ne dormait plus. L'aurore le trouvait, chaque matin, un peu plus fatigué, un peu plus maigre, un peu plus flageolant. Après tant d'heures passées à se tourner, à se retourner sur son lit, à mordre de rage son oreiller, à gémir comme un enfant, le pauvre homme avait piteuse mine. Dès que l'aube commençait à tendre de rose la fenêtre ouverte sur les ténèbres, Pygmalion rejetait sa couverture et sans perdre le temps de peigner ses cheveux embroussaillés, de laver son visage couleur de terre, courait à son atelier. Parmi les monceaux de glaise, les blocs de pierre à peine équarris, toutes les souillures du travail, la statue se dressait, toute nue, éblouissante. Debout, dans l'éclat de sa jeune impudeur, elle tendait les bras. Sous la gaine de marbre, il semblait qu'on vît courir le sang ; les seins menus paraissaient soulevés au rythme de la volupté. Tout en elle s'offrait, se donnait. Jamais Vénus n'avait paru si accessible aux désirs des hommes. Pygmalion, le feu aux tempes, passait des heures d'extase muette, aux pieds blancs qu'il avait lui-même taillés, et puis, grisé à sa propre ivresse, la tête tournée d'un amoureux délire, il haussait ses lèvres jusqu'à la bouche de marbre, certain qu'il allait sentir, à leur frisson ardent, se crisper tout son être. Mais, hélas, le marbre restait glacé, et l'homme amoureux de la pierre sanglotait de désespoir, pendant qu'au-dessus de lui, la Statue, impitoyable et souriante, semblait railler l'insensé…

On ne s'adresse – heureusement, malheureusement ? – jamais en vain au cœur de Vénus. Les sanglots, le dépérissement de Pygmalion éveillèrent sa pitié ; sans parler de l'orgueil que la déesse ressentit d'un si rare hommage, d'une passion si éperdue. Elle se laissa fléchir, et permit que la vie fût donnée à la Statue. Mais elle laissa entendre que l'image de marbre, en devenant femme, cesserait d'être Déesse, c'est-à-dire de participer à la perfection divine.

C'est pourquoi Galathée, quand son corps ravissant s'anima,

quand s'assouplirent les boucles de sa chevelure, quand rosirent les fleurs de sa poitrine, quand elle ouvrit à la lumière des yeux profonds et verts comme l'onde – au moment que Pygmalion se jetait sur elle avec une sorte de tendresse sauvage, elle le repoussa doucement et sans descendre de son socle : « Allez donc vous faire la barbe, mon ami, lui dit-elle, vous êtes fait comme un voleur. » Ce à quoi le sculpteur obéit, sans barguigner, mais la légende ajoute que dans la fièvre de son impatience, il s'en tailla le menton. Des gouttes de sang qui tombèrent sur le sol, naquirent ces roses rouges que depuis lors, on a coutume d'offrir à Vénus, après les sacrifices d'amour.

Aussi bien, l'union de Pygmalion et de Galathée fut heureuse, un fils en naquit. Mais à de certains jours, le bruit courait que le sculpteur regrettait ses prières imprudentes, et le temps où la femme n'était qu'une statue, insensible, mais silencieuse.

Robert Burnand, *Vie privée des déesses et des dieux*, Grasset, 1936.

L'ATHLÈTE DE BRONZE DE JOSÉ MARIA DE HEREDIA

Dans ce poème, J. M. de Heredia, grand admirateur de l'Antiquité, met en valeur l'évidente impression de vie, de mouvement, qui se dégage de la statue qu'il contemple. Au point que cette œuvre de bronze échappe à son créateur pour « voler de ses propres ailes »... Cette conception fait de l'artiste un être capable de donner la vie.

Le coureur

Tel que Delphes l'a vu quand, Thymos le suivant,
Il volait par le stade aux clameurs de la foule,
Tel Ladas court encor sur le socle qu'il foule
D'un pied de bronze, svelte et plus vif que le vent.

Le bras tendu, l'œil fixe et le torse en avant,
Une sueur d'airain à son front perle et coule ;
On dirait que l'athlète a jailli hors du moule,
Tandis que le sculpteur le fondait, tout vivant.

Groupement de textes

Il palpite, il frémit d'espérance et de fièvre,
Son flanc halète, l'air qu'il fend manque à sa lèvre
Et l'effort fait saillir ses muscles de métal ;

L'irrésistible élan de la course l'entraîne
Et passant par-dessus son propre piédestal,
Vers la palme et le but il va fuir dans l'arène.

José Maria de Heredia, *Les Trophées*, 1893.

Deux jeunes athlètes.
Statues en bronze (ɪᴠᵉ siècle av. J.-C.).
Musée de Naples.

LE « RÊVE DE PIERRE » DE BAUDELAIRE

Pour d'autres poètes, au contraire, la beauté de la création
– et la création de la beauté – est inaccessible à l'homme,
et les mortels ne peuvent que venir se briser sur l'immobilité
de ce « rêve de pierre ».

La Beauté

Je suis belle, ô mortels, comme un rêve de pierre,
Et mon sein, où chacun s'est meurtri tour à tour,
Est fait pour inspirer au poëte un amour
Éternel et muet ainsi que la matière.

Je trône dans l'azur comme un sphinx incompris ;
J'unis un cœur de neige à la blancheur des cygnes ;
Je hais le mouvement qui déplace les lignes,
Et jamais je ne pleure et jamais je ne ris.

Les poëtes, devant mes grandes attitudes,
Que j'ai l'air d'emprunter aux plus fiers monuments,
Consumeront leurs jours en d'austères études ;

Car j'ai, pour fasciner ces dociles amants,
De purs miroirs qui font toutes choses plus belles :
Mes yeux, mes larges yeux aux clartés éternelles !

Baudelaire, *Les Fleurs du mal*, 1861.

Bibliographie

ANTIQUITÉ : IIᵉ SIÈCLE APRÈS JÉSUS-CHRIST

Apulée (auteur latin) : *Les Métamorphoses ou l'Âne d'or*.

XVIIIᵉ SIÈCLE : LES DÉBUTS DU FANTASTIQUE

Walpole, *Le Château d'Otrante* (1764).
Cazotte, *Le Diable amoureux* (1772).
Mrs Radcliffe, romans dont *Les Mystères d'Udolphe* (1794).
Lewis, *Le Moine* (1795).

XIXᵉ SIÈCLE : LES MAÎTRES DU FANTASTIQUE

Hoffmann (allemand), *Les Élixirs du diable* (1816),
La Princesse Brambila (1821), *Le Chat Murr* (1820-1822).
Nodier, *Contes*, dont *La Fée aux miettes* (1832).
Gogol (russe), *Les Veillées à la ferme de Dikanka*
(1831-1832), *Le Portrait, Le Journal d'un fou, Le Nez,
Le Manteau* (1835).
Mérimée, *Il viccolo di madama Lucrezia* (1837), *Lokis*
(1869), *Djoûmane* (1870).
Gautier, *Contes fantastiques* (1831-1866).
Poe (américain), *Histoires extraordinaires* (1839), *Nouvelles
Histoires extraordinaires* (1845).
Dickens (anglais), *Contes de Noël* (1871).
Stoker (anglais), *Dracula* (1871).
Stevenson (anglais), *Dr Jekyll et Mr Hyde* (1885).
Maupassant, *Contes* (1875-1889), dont *Le Horla*.
Wilde (anglais), *Le Portrait de Dorian Gray* (1891).

Imprimé en Italie par Rotolito Lombarda
Dépôt légal : Juin 2012 - Collection n°46 - Edition n°15 - 16/7850/7